Inhaltsverzeichnis

Provokation und Idylle

Über Robert Walsers Prosa

DER DEUTSCHUNTERRICHT
Beiheft I zu Jahrgang 23/1971

Anschriften

Verantwortlich für dieses Heft:
Dr. Bernd Hüppauf, 74 Tübingen-Lustnau, Anna-Bosch-Straße 20

Anschriften der Mitarbeiter

Dr. Jochen Greven, 6 Frankfurt a. M. 50, Kurhessenstraße 65
Prof. Dr. Fritz Hackert, 113 Tara Ap., 4 Gaines School Rd., Athens, Georgia, 30601 U.S.A.
Dr. Klaus-Peter Philippi, 74 Tübingen, Bismarckstraße 46
Dr. Dierk Rodewald, 53 Bonn-Beuel, Elsa-Brandström-Straße 99

Printed in Germany

Druck: Verlagsdruckerei J. F. Bofinger KG, 72 Tuttlingen, Königstraße 25

ISBN 3-12-924150-7

Zur Einführung

Jede Beschäftigung mit dem Werk Robert Walsers führt bald auf das Problem der Rezeption: Warum ist Walser 40 Jahre lang beim breiteren Lesepublikum unbekannt geblieben? Wie konnte er zu einem Dichter für 'Leute vom Fach' werden? Und endlich: sollte man sein oft befremdendes Werk nicht besser auf sich beruhen lassen und die exklusiven Kreise einiger Ästheten nicht durch allgemeinverständliche Erklärungsversuche stören?

Zunächst läßt sich eine positive Auswirkung von Walsers Randstellung im Literaturbetrieb feststellen: Walser ist einer lange Zeit gepflegten Art der Auslegung, die Literatur als zeitlose Manifestation des allgemein Menschlichen begriff, weitgehend entgangen. Hier liegt wohl eine verständliche Wechselwirkung vor, denn das von allen philosophisch-religiösen Problemen weit entfernte Werk hätte sich wohl kaum mit der Vorstellung von einer zwar historisch eingekleideten, aber im Grunde ewig gültigen Wahrheit in der Literatur vertragen. Die fehlende Wirkungsgeschichte gibt dem heutigen Betrachter eine weitgehend unverstellte Sicht frei und läßt mitunter eine ganz erstaunliche Modernität dieses Werkes deutlich werden.

Zwei Aufsätze des vorliegenden Heftes weisen auf enge Beziehungen der Walserschen Prosa mit zeitgenössischer Dichtung hin. Das artistische Jonglieren mit Formen, die Erweiterung künstlerischer Aussagemöglichkeiten durch Montage, sprachliche Entstellungen oder stereotype Wiederholungen deuten auf Tendenzen der Gegenwartsliteratur voraus und ziehen zeitgenössische Autoren zu Walser.

Es kann bei solchen Beobachtungen nicht um die Anhäufung beliebiger Analogien oder um eine erzwungene Aktualisierung von Historischem gehen. Vielmehr sollen historische Phänomene nicht isoliert werden, muß eine bewußte historische Betrachtung immer auch die Relevanz für die Gegenwart beachten und einen Beitrag zur differenzierteren Betrachtung gegenwärtiger Erscheinungen leisten. Hier kann Walsers Werk – begünstigt nicht nur durch die fehlende Wirkungsgeschichte – auf besondere Weise exemplarisch werden. In seinem Verhältnis zu einer so typisch bürgerlichen Form wie dem Feuilleton zeigt sich eines seiner Hauptthemen: die Fragilität einer Wirklichkeit, die sich den Anschein von Ewigkeit gibt. Aber Walser deckt nicht nur diesen Widerspruch auf, sondern mit der Übernahme von Form- und Schreibtraditionen integriert er sich und läßt sich gleichzeitig in das Reservat drängen, das die Gesellschaft für den Dichter bereithält.

Unter dieser Voraussetzung bekommt seine Auseinandersetzung mit einer arbeitsteiligen Welt und der Isolierung und Entfremdung des Individuums eine ambivalente Bedeutung. Die Frage, inwieweit Walser diese Stellung der Kunst gesehen hat, wie groß die Distanz zu seinen Romanfiguren ist und ob Teile seines Werkes als Utopie oder als Flucht aus der Wirklichkeit zu verstehen sind, taucht in den vorliegenden Aufsätzen unter den verschiedensten Gesichtspunkten auf und muß vorerst offen bleiben. Die unterschiedlichen Antworten sollten als Herausforderung zur kritischen Diskussion über diesen Autor und über die Literatur dieser Zeit verstanden werden.

Die augenblickliche Diskussion um die Germanistik hat zu der Einsicht geführt, daß die gesellschaftlichen Bedingungen der Literatur und die gesellschaftlichen Aufgaben der Literaturwissenschaft zu den grundlegenden Fragen des Faches gehören. Dichtung erscheint uns nicht mehr als eine den Zeitläuften enthobene Bewältigung immer gleicher existenzieller Probleme. Die Beschreibung von Sprache und Form hat ihre Bedeutung nicht verloren, aber sie kann nicht länger als ein Selbstzweck verstanden werden, sondern sie erhält ihre Bedeutung erst aus der Erkenntnis der Funktionalität aller Dichtung und aller Beschäftigung mit ihr. Diese Einsicht hat auch die hier vorgelegten Untersuchungen mitbestimmt. Provokation und Regression, Spiel und Engagement sind die Pole, zwischen denen Walsers Dichtungen dargestellt werden; und damit soll ein Beitrag zu einer Literaturbetrachtung geliefert werden, die historisch rekonstruierende Darstellung mit einer gegenwartsbezogen integrierenden Erkenntnis zu vermitteln sucht.

In diesen knappen Bemerkungen liegt schon eine Antwort auf die Frage: taugt Walser für die Schule? Es ist nicht nur die Kürze seiner Texte, die eine positive Antwort nahelegt, es ist viel eher seine – richtig verstandene – Aktualität, die im Blick auf das Historische die Gegenwart schärfer profiliert. Von entscheidender Bedeutung ist dabei die Frage nach Wertung und Kritik. Es kann nicht darum gehen, für Walser nachträglich ein Podest zu zimmern, sondern die enge Verbindung von Trivialität und leerem Spiel mit scharfer Beobachtung und – oft eigenwilliger – gelungener sprachlicher Formung in Walsers Werk kann die Urteilskraft und den kritischen Blick für die Möglichkeiten und Grenzen der Dichtung schärfen helfen. Ein so verstandener Walser könnte nicht nur zu einer beachtlichen Erweiterung des (literarischen) Horizonts beitragen, sondern auch noch einiges Vergnügen bereiten.

Bernd Hüppauf

Fritz Hackert

Robert Walser, Feuilletonist

Leute, die unter Leuten
keinen Erfolg finden, haben
bei Leuten nichts zu suchen.[1]
Robert Walser

I. Einleitung

Wie viele seiner Sentenzen, ist auch dieses Motto von Robert Walser zum Teil eine Selbstdarstellung. Aus 'literaturdarwinistischer' Sicht, die vermeintliche Sieger über den historischen Geschmackswandel im Blick hat – und dabei oft ihren eigenen Geschichtsstillstand übersieht –, hat sich die zitierte Selbsteinschätzung lange Zeit bewahrheitet. Freilich pflegt gerade dieser Umstand die entgegengesetzte, nicht minder suspekte Partei der Philologie auf den Plan zu rufen: die Entdecker verkannter Größen, Literaturantiquare und Textarchäologen, die mit den Verehrern überdauernder Geister das offene oder uneingestandene Motiv der Selbsterhöhung teilen, nur daß ihre Raritätenfunde noch in jene Höhe emporzustilisieren sind, wo dann Genius und kongenialer Interpret Verbrüderungsfeste feiern. Warum soll Robert Walser wieder unter die Leute kommen, und warum sollen Leute nach seinen Verdiensten suchen?

Gelegentlich stößt man im Literaturteil deutscher Zeitungen auf die Verwendbarkeit von Walsers komprimiertem Scharfsinn für die Garnierung bestimmter Spalten.[2] Doch schon der Rezensent, der Robert Walser zum literarischen Vergleich heranzieht, gebraucht seine Stilmanier als negative Folie, obwohl er sich bezeichnenderweise dafür entschuldigen zu müssen glaubt.[3] Denn die Philologie hat ja das Werk nach und nach ausgegraben, und pflichtgemäß wurde es auch besprochen. Jedoch will der zwiespältige Eindruck nicht weichen: „Beglückt und auch etwas deprimiert [...]" legt der Kritiker „die letzten Bände dieser verdienstvollen Edition aus der Hand. War Robert Walser nicht wunderbarer, als man noch nicht so viel von ihm kannte?"[4] Gewiß schwingt in

---

1 Walser, R.: Poetenleben. Seeland. Die Rose. Hrsg. v. Jochen Greven, Verlag Helmut Kossodo, Genf und Hamburg 1967 (Das Gesamtwerk, Bd. III), S. 98 – Die Bände der Gesamtausgabe werden im folgenden durch röm. Zahlen angegeben.

2 Vgl. die Spalte ‚ZEITMOSAIK' in der ‚ZEIT' v. 21. 11. 1969.

3 Gregor-Dellin, M.: Vertracktes aus Daxingen, ‚DIE ZEIT' v. 7. 3. 69. (Rez. über: Fuchs, G. B.: Bericht eines Bremer Stadtmusikanten). Gregor-Dellin charakterisiert Kompositions- und Stilmerkmale, die ihn an Robert Walser erinnern und kritisiert, daß „überhaupt alles in diesem 'Roman' gegen Ende zu offen, zu unscharf bleibt". Vorher nimmt er Walser jedoch von der Kritik aus: „Mit dem Hinweis auf Robert Walser soll nichts getadelt, sondern nur angezeigt werden, in welchem Bereich die Nachdenklichkeit und Sprachbedenklichkeit des Buches ungefähr beheimatet ist."

4 Hartung, R.: Zweite Begegnung mit Robert Walser. Anläßlich der zwölfbändigen Gesamtausgabe seines Werkes. ‚DIE ZEIT' v. 20. 9. 1968.

dieser Frage das Unbehagen des Eingeweihten mit, seinen Geheimtip in die Favoritenrolle überwechseln zu sehen. Gleichzeitig auch ist der Literaturwissenschaft die Frage nach dem Sinn von Gesamtausgaben gestellt, die noch der belanglosesten Notiz eines Autors einen repräsentativen Rahmen verleihen und nicht zuletzt mit der 'geordneten' und massierten Darbietung aller Texte eine den Texten selbst völlig unangemessene Lese-Situation schaffen.

Wahrscheinlich rührt der Überdruß des zitierten Kritikers unter anderem aus dem Zwang zur monotonen Lektüre ein und derselben Gattung, des Feuilletons, das den größten Teil von Robert Walsers Werk ausmacht und das eben zunächst im Kontext von Zeitungen und Zeitschriften erschien, wo es für den Leser in der ästhetischen Dimension mindestens noch kontrastive Funktionen besaß. Es hatte dann seinen guten Grund, daß Sammelausgaben durch Illustrationen aufgelockert und von Walser selbst nach bestimmten Kompositionsprinzipien angelegt wurden, die freilich kein eindeutiges System erkennen lassen, sondern auf jeweiligem Gutdünken beruhen.

II. Lese-Ausgaben

Zur Rezeption von Robert Walser in der Buchproduktion und auf dem Büchermarkt darf man heute feststellen, daß er – sicher dank Carl Seeligs unermüdlicher Werbung und der allmählich zustande gekommenen Gesamtausgabe – regelmäßig dort registriert und zitiert wird, wo man Anthologien von 'Meistern der kleinen Form' zusammenstellt oder aus ganz praktischen Gründen kurze Prosa von Qualität benötigt. Er zählt zu den „Klassikern des Feuilletons“ [5] und ist im modernen Schullesebuch vertreten, ein scheinbar problemloser Autor, dessen Text keiner Erläuterung oder Anmerkung bedarf.[6] Daß die westdeutsche Literaturwissenschaft ihren Blick wieder auf den Gattungsreichtum der schriftlichen Tradition lenkt und den ausschließlichen Umgang mit Dichtungsmonumenten aufzugeben beginnt, verhilft Walser inmitten vieler anderer Zeitungsschreiber zu neuer Beachtung.[7] Beliebt ist er, wo kleine Bücher hergestellt werden, und so findet man von ihm ebenso ein Reclamheftchen mit ausgewählten ‚Geschichten‘ [8] wie ein bibliophiles Bändchen, das mit Zeichnungen seines Bruders Karl ausgestattet ist.[9] Das literarhistorische Geleit zu jüngeren Prosasammlungen aus dem Werk Robert

---

[5] Klassiker des Feuilletons, Auswahl und Nachwort von Hans Bender. Reclam-Nr. 8965–67, Stuttgart 1965, S. 115–119: Walser, R.: In der Bahnhofswirtschaft.

[6] Wort und Sinn, Lesebuch für den Deutschunterricht. 5./6. Band, Ferdinand Schöningh, Paderborn 1965, S. 16–17: Walser, R.: Das Stellengesuch.

[7] Vgl. Dreyer, E.-J.: Kleinste Prosa der deutschen Sprache, Max Hueber Verlag, München 1970, S. 238–39: Walser, R.: Der Traum. – Welch kräftige Journalistentradition die deutsche Literaturgeschichte aufweist, zeigt sich schon beim Überfliegen des Autorenregisters: Altenberg, Auburtin, Benjamin, Bloch, Börne, Claudius, Fontane, Glassbrenner, Görres, Hebel, Heine, Kleist, Kraus, Lessing usw.

[8] Walser, R.: Kleine Wanderung. Geschichten, Reclam-Nr. 8851, Stuttgart 1967. Mit einem Nachwort von Herbert Heckmann.

[9] Walser, R.: Der Spaziergang. Ausgewählte Geschichten und Aufsätze. Zeichnungen von Karl Walser. Diogenes-Verlag, Zürich 1967.

Walsers empfiehlt ihn durch Hinweise auf die bekannte Wertschätzung von literarischen Autoritäten wie Kafka, Musil und Walter Benjamin [10] und neuerdings sogar durch seine Entdeckung als sozialkritischen und stilistisch avantgardistischen Schriftsteller.[11] Die Uneingeschränktheit allerdings, mit der Robert Walser als ein „von Klassensolidarität motivierter proletarischer Autor" [12] gepriesen wird, weckt nicht gerade Sympathie für den marxistischen Ansatz, vollends wo dieser noch vom Gestus der traditionellen geisteswissenschaftlichen Offenbarungspose begleitet ist. Aber Formalien sollten nicht darüber hinwegtäuschen, daß die scharfe Erkenntnisperspektive auf Walsers Darstellung der „elenden sozialen Lage jener kleinen Angestellten und Beamten [...] für die sich der Begriff Stehkragenproletariat eingebürgert hat" [13], einen Komplex des Gesamtwerks deutlich heraushebt, für ihn eine Erklärungshypothese aufstellt und ihn damit für den Leser strukturiert. Die Ausführungen des Herausgebers überzeugen im übrigen besonders dort, wo er Spezialkenntnisse aus eigener dialektisch-materialistischer Geschichtsforschung zugrunde legen kann [14], geraten hingegen ihrerseits mit Widersprüchen – wie dem: Walser habe sich vorgenommen, die Situation des ausgebeuteten Lohnsklaven jenem selbst und der Allgemeinheit bewußt zu machen; aber schon das Personal seiner Prosa sei wenig geeignet, beim lesenden Publikum Interesse zu wecken [15] – in die Aporien eines Deutungsschematismus, der unbedingt Originalität und gesellschaftliche Verbindlichkeit gleichermaßen propagieren möchte.

III. Walsers Selbstverständnis

Gewiß, Walser hat in einem ironischen Selbstporträt sein Dasein als „proletarisches Poetenleben" [16] charakterisiert. Bleiben wir indessen noch im Umkreis einer dialektischen Geschichtsauffassung, so müßte man aus ihr folgern, daß die List der Vernunft es Walser verwehrte, als Romancier zu reüssieren, um ihn dem Feuilleton zu überantworten, wo die Möglichkeit bestand, in die breite Front eines Zeitungspublikums als proletarisch-revolutionärer Wolf im Schafspelz des bürgerlichen Unterhaltungsschriftstellers Bewußtseinslücken zu reißen. Man braucht schon derartige Konstruktionen, die das Individuum als Instrument und Objekt eines höheren Zwecks der Geschichte verwerten, um im Falle Walsers der Tatsache zu entgehen, daß er sich persönlich heftig vor der Journalarbeit sträubte. Der von ihm bezeugten Vorliebe, sich „im Stil kleiner

---

[10] Vgl. Walser, R.: Prosa, Suhrkamp-Verlag, Frankfurt a. M. (13.–15. Tausend) 1968; ebd. Höllerer, W.: Über Robert Walser, S. 203 ff.

[11] Walser, R.: Basta. Prosastücke aus dem Stehkragenproletariat. Ausgewählt und mit einem einleitenden Essay herausgegeben von Hans G. Helms. Kiepenheuer & Witsch, Köln/Berlin 1970, pocket 12.

[12] Helms (s. Anm. 11), S. 13.

[13] S. Anm. 11, S. 2 (Vorsatzblatt).

[14] Vgl. die Abschnitte zum Städtebild (s. Anm. 11), S. 23 ff. – Helms ist Mitherausgeber des Bandes: Helms, H. G. / Jansen, J.: Kapitalistischer Städtebau. Luchterhand, Neuwied/Berlin 1970.

[15] S. Anm. 14, S. 19.

[16] Robert Walser, III, S. 129.

Tagesware zu bewegen"[17] steht die Antipathie gegenüber, dem Markt für diese Ware verpflichtet zu sein, der Zeitung:

„Zeitungen hab' ich mir abgewöhnt zu lesen, und zwar einfach deshalb, weil ich mir die Neugierde abgewöhnen wollte. Seither bin ich viel freier, der Geist ist unvoreingenommen, das Urteil heller. Das Leben und seine Gestalten kommen mir kräftiger vor. Zeitungen soll lesen, wer ein Geschäft betreibt, das ihm deren Lektüre empfiehlt. Ich finde, jeder soll sich nur mit Dingen abgeben, die ihn nahe berühren, also von natürlicher Wichtigkeit für ihn sind. Mir ist's unersprießlich, täglich von etwas unterrichtet zu sein, in das ich nicht miteingreife."[18]

Der Rückzug aber aus dem Bereich der Information über undurchschaute und unbeeinflußbare Verhältnisse stillt nicht die Unruhe darüber, daß man den ignorierten Zuständen praktisch ausgeliefert ist. „Was mochte sie enthalten?", fragt Walser, konfrontiert mit der „Zeitung".[19] „War das für mich ersprießlich?"

Vom Interesse jedoch des Zeitungskonsumenten abgesehen mußte Walser als Produzent aus materiellen Gründen schon sein Absatzgebiet beobachten:

„Einmal blieb ein jugendlich grünendes, rotbackiges, hübsches rundes Prosastück volle sechs Jahre lang an öder Stelle liegen, wo es mit der Zeit ganz dürr wurde. Als es endlich zum Vorschein kam, d. h. im Druck auftauchte, so weinte ich vor Freude, indem ich mich wie ein armer Vater gebärdete, den die Zärtlichkeit übermannt."[20]

Die ironisch anthropomorphe Aufzäumung verhindert lediglich, daß Walsers Kennzeichnung seiner Existenzbedingung das Pathos von Klage annimmt. Aber nichts läßt daran zweifeln, daß seine Arbeit tatsächlich unter dem dauernden Zwang zum Angebot stand.

„Hundertmal rief ich aus: ‚Nie mehr wieder schreibe und sende ich', schrieb und sandte aber jeweilen schon am selben oder folgenden Tage neue Ware [...]."[21]

Und es dürfte bei aller Ironie auch kaum als Übertreibung zu werten sein, wenn Walser aufzählt:

„An einundzwanzig bis achtunddreißig Redaktionen sandte ich ‚Trab, trab, trab' in der Hoffnung, daß es in den Rahmen passe; doch die Hoffnung erwies sich einundzwanzig bis achtunddreißig mal als trügerisch [...]."[22]

Was er bei seinem schriftstellerischen Debut befürchtet hatte, war eingetreten. Er, der im Leben und beim Schreiben keinem „Rahmen" gefügig sein wollte, sollte den Erwartungen von Redaktionen und Publikum, den Mustern von Zeitungssparten Genüge tun. Walser vermochte dies nur in der Parodie. „Wer etwas zu sagen habe", empfiehlt

---

17 Zitiert nach Helms, S. 19.

18 Walser, R.: Festzug. Prosa aus der Bieler und Berner Zeit. Hrsg. v. Jochen Greven, Verlag Helmut Kossodo, Genf und Hamburg 1969 (Das Gesamtwerk, Bd. VII), S. 19.

19 S. Anm. 18, „Zeitung", S. 141.

20 S. Anm. 18, S. 72.

21 S. Anm. 18, S. 71.

22 S. Anm. 18, S. 76.

er sarkastisch, „schreibe mit Freuden, mit ersten und letzten Kräften hin und wieder eine Glosse [...].“ [23] Im gleichen Satz jedoch noch wird die Verstellung zugunsten der eindeutigen Aussage aufgegeben: „[...] und man möchte“, fährt Walser fort,

„indem man dies sagt, vor lauter Trauer darüber, daß die Glosse eine Verkommenheit bedeutet, und daß man in diesen Sumpf hineinfiel, um vielleicht nie mehr wieder daraus in die Luft und in die Lust schönerer Übungen emporzuklettern, laut lachen ...“.[24]

Kein Sarkasmus und kein verzweifeltes Lachen führen daran vorbei, daß vom Auftraggeber das Produkt bestimmt wird, und kein Widerwille ändert die Abhängigkeit von der Bestellung:

„‚Oh, ich stolzer, großer Glossentor, der ich war, hu hu‘, krächzt es mitten im Fabrikantenbewußtsein, in der Skizzenhervorbringerseele, die Mühe hat, das Mindestmaß an innerer Ordnung einigermaßen aufrechtzuhalten. Bürgerliche und sonstige Leser lesen zwar herzlich gern Glossen, das steht mit Felsenfestigkeit fest, wird doch immer wieder von Zeitschriftenredaktoren, von Führern in die Kulturheiligtümer hinein die höfliche Anfrage an den kolossal bekannten, anerkannten Glossenschmied gerichtet, ob er nicht für einige Franken witzig sein möchte, wozu der Schreiner oder Schlosser meist freudig ja sagt.“ [25]

Dermaßen verstört befaßt sich ein Bewußtsein, das von der Ideologie einer unabhängigen Künstler-Bohème zehrt, mit der wirklichen Lage. Aber noch der Ausbruch respektiert die Gesetze der Gesellschaft. Denn die „Lust schönerer Übungen“ stellt sich bei eben jener vermeintlich unabhängigen Arbeit ein, die einer literarisch höher bewerteten Gattung gilt, dem Roman. Dieses gesellschaftlich hoch geschätzte Genre gemeistert zu haben, verschafft Walser eigentlich erst dichterische Selbstbestätigung, und er will sich – obwohl die um Simon Tanner gruppierten Szenen und Skizzen recht spärlich integrative Elemente aufweisen – nur vorübergehend zum Verfassen kurzer Prosa herbeilassen.

„Bald nach der schnellen Niederschrift des ersten Romans ‚Geschwister Tanner‘, noch im Jahre 1906, begann Walser, auch wieder kleine Prosa zu schreiben – wie schon, in geringerem Umfang, in den früheren Jahren. ‚Solches tut man ja eigentlich nur, um Luft zu gewinnen, die nötig ist, Größeres anzufangen‘, schreibt er entschuldigend Anfang 1907 an A. W. Heymel, und an Christian Morgenstern: ‚Wenn ich aber Zeitschriftenlieferant werden sollte, lieber ginge ich 'unter die Soldaten'.‘“ [26]

Mit verquälter Komik charakterisiert Walser später in einer Art knappem Lebenslauf die ihm zugefallene inferiore gesellschaftliche Rolle:

„Alsdann, und so schleuderte mich das barsche Leben in die Bahnen eines exekutierenden Feuilletonisten. O hätte ich nie ein Feuilleton geschrieben. Aber das Schicksal, das stets unbegreiflich ist,

---

[23] Walser, R.: „Die Glosse“. In: Maskerade. Prosa aus der Berner Zeit (II) 1927/28. Hrsg. von Jochen Greven, Genf und Hamburg 1968 (Das Gesamtwerk, Bd. IX), S. 296.

[24] S. Anm. 23.

[25] S. Anm. 23.

[26] Greven, J.: Nachwort zu Robert Walser, Phantasieren. Prosa aus der Berliner und Bieler Zeit. Hrsg. v. Jochen Greven, Genf und Hamburg 1966 (Das Gesamtwerk. Bd. VI), S. 397.

hat es so gewollt, es hat aus mir, wie es scheint, einen hüpfenden und parfümierten Vielschreiber und Vielwisser gemacht ...".[27]

Sich selbstironisch diesem Odium auszuliefern, war ein angestrengter Versuch der Ehrenrettung, den jedoch nur die persönliche Überzeugung stützte, trotz mangelnder öffentlicher Bestätigung dem von der Öffentlichkeit geprägten Rollenstatus des 'berufenen Dichters' zu entsprechen. Manchmal schlägt die Not der Identitätssuche um in den Tugendpreis der Zwangsexistenz, der feuilletonistischen Arbeit, die sogar zur Norm erhoben wird:

„Schriftsteller sollen sich nicht darum, daß sie sich ans Großartige schmiegen, für groß halten, vielmehr in Kleinigkeiten bedeutend zu sein versuchen." [28]

Nichts anderes bleibt dem Feuilletonisten übrig, dem seine Sparte die Perspektive, den Stoff, die Themen und die Motive vorschreibt. Dennoch braucht man nicht auszuschließen, daß Walser in der persiflierenden, biographisch-anekdotischen Bemerkung über seine Hinwendung zur kleinen Form auch eine Feststellung über seine eigentliche Begabung traf. Allerdings rückt er wieder den ökonomischen Gesichtspunkt in den Vordergrund und schwadroniert:

„Herr Bankdirektor Ratgeb vom brasilianischen Bankverein gab mir eines Tages folgenden Rat: ‚Wenn Sie je mit Ihrer Prosa Erfolg haben wollen, so müssen Sie sie in kleine Abschnitte zerschneiden.' Wie man sieht, habe ich mir das Wort zu beherzigen gewußt, und zwar hoffentlich zu meinem Nutzen." [29]

IV. Deutsche Feuilletonforschung

Walser wird denn auch von den meisten seiner Rezensenten einer Galerie deutscher Feuilletonisten zugezählt. So nennt ihn zum Beispiel Walter Benjamin zusammen mit Alfred Polgar und Franz Hessel.[30] Gegen diese Einreihung spricht nicht, daß sein Name im deutschen ‚Handbuch des Feuilletons' fehlt, einem Werk, das unter anderem die personell garantierte, ungebrochene völkische Tradition der deutschen Publizistik bezeugt.[31] Diese paßte sich im übrigen den restaurativen Bedürfnissen der Nachkriegs-

---

27 Walser, R.: „Was aus mir wurde". In: R. W., VI, S. 64.

28 Walser, R.: „Erich". In: R.W., III, S. 382.

29 Walser, R.: „Essen" (II). In: R.W., VI, S. 370.

30 Vgl. Benjamin, W.: Robert Walser. In: Illuminationen. Ausgewählte Schriften. Suhrkamp-Verlag, Frankfurt a. M. 1961, S. 370.

31 Haacke, W.: Handbuch des Feuilletons. Bd. I/1951, II/1952, III/1953, Verl. Lechte, Emsdetten (Westf.) – Haacke, der laut SPIEGEL (Nr. 33 v. 10. 8. 1970, S. 112) „verläßlich und umfangreich über das Feuilleton geschrieben hat", ist Ordinarius der Publizistik in Göttingen. Das Handbuch stellt seine nach dem Krieg bearbeitete Habilitationsschrift dar, welche „unter Streichungen, Änderungen und Zusätzen der nationalsozialistischen Überwachungsstellen" (Haacke I/1951, Vorwort) die „Ausmerzung des Judentums aus dem deutschen Feuilleton" gefordert hatte (Haacke, W.: Feuilletonkunde. Das Feuilleton als literarische und journalistische Gattung. Bd. I, Leipzig 1943, S. 9 ff.) – Ähnlich liegt der Fall bei einem zweiten Standardwerk der deutschen Publizistik, bei Emil Dovifats Göschenbändchen (1040/1040a) zur ‚Zei-

zeit an, wobei ihre Methode einer opportunistischen 'Wesens'-Definition „vom Feuilleton (verlangt) [...] es soll Sinn offenbaren. Es soll aufrichten und trösten".[32] Solchen Kriterien direkter Lebenshilfe konnten weder Inhalt noch Stil der Walserschen Prosa standhalten, wenn Walser überhaupt ins Blickfeld dieser publizistischen Forschung und Geschichtsschreibung geraten war.

Ihre Schwierigkeiten sollen allerdings nicht verkannt werden. Sie setzen schon bei der Terminologie ein, in welcher der Begriff 'Feuilleton' in zweifacher Bedeutung auftritt, nämlich einmal als „literarischer Gattungsbegriff" und zum andern als Bezeichnung der „redaktionellen Sparte bei Zeitungen und Zeitschriften", als Überschrift somit für den sogenannten Kulturteil.[33] Daß nun eben dieser Teil eine Vielzahl mehr oder weniger genau festgelegter Schreibformen enthält, daß Gattungsbezeichnungen wie Feature, Feuilleton, Glosse, Kleine Form, Kurzgeschichte, Kommentar, Reportage usw. nebeneinander, dann wieder kombiniert und manchmal sogar synonym gebraucht werden[34], dies bereitet den Systematikern beträchtlichen Ärger. Gerade wenn die Gattungstheorie ontologisch fundiert ist und einem Nominalismus huldigt, für den jede Bezeichnung auch die Existenz eines speziellen „Wesens" anzeigt, muß der nomenklatorische Wirrwarr des Journalismus tiefen Widerwillen erregen. Die Reaktion aus unhistorischer Einstellung macht aber nicht nur die Notwendigkeit normativen Sichtens, Prüfens und Ordnens geltend. Sie verhärtet sich darüber hinaus zu jenem Formenrigorismus und moralisierenden Sprachpurismus, den eine fatale Tradition der deutschen Journalistik beständig mit dem Publikum in Sprachglossen und Leserbriefen austauscht.[35] Wie nun in der literaturwissenschaftlichen Poetik (durch Staigers ‚Grund-

---

tungslehre' (I/II), die mit einer gleichbleibenden ideologischen Grundposition in diversen Auflagen seit 1931 verbreitet werden (1931, 1937, 1944, 1955, 1967). Dovifat überbietet Haackes Apologetik insofern, als er die Verantwortung nicht abschiebt, sondern seine totale Affirmation im Rückblick einfach zur Tarnung von innerem Widerstand erklärt: „Eine meist aus Zitaten gearbeitete Darstellung des Pressesystems im Hitler-Regime ist in der 2. Auflage dieser Bände gegeben, mit den negativen Vorzeichen zwischen den Zeilen, die damals verständlich waren." (Zeitungslehre I, Berlin 1955, Göschen-Bd. 1039, S. 1, Anm. 1)

[32] Haacke, I/1951, S. 375.

[33] Vgl. Kosyk, K. / Pruys, K. H.: dtv-Wörterbuch zur Publizistik. München 1969, S. 105.

[34] Vgl. Haacke II/1952, S. IX/X (Inhaltsverzeichnis zu Kap. VIII. Die literarischen und journalistischen Gattungen des Feuilletons).

[35] Vgl. z. B. Dovifat, E.: Zeitungslehre I/II, Berlin 1955, wo die Sprachregelung der Nazizeit weiter verfochten wird. Der Begriff 'Reportage' soll dem des 'Erlebnisberichts' weichen (I, S. 24). Eine frühere Hoffnung war auch die Ausmerzung des 'Reporters': „Die Bezeichnung [...] 'Erlebnisberichter' für den Reporter setzt sich erst langsam durch, sprachlich ist sie die richtige Ableitung, wie das Wort 'Kriegsberichter' zeigt, das jetzt in Umlauf kommt." Dovifat, Zeitungslehre I/1944, S. 29). Nach dem Krieg mußte die Sprachreinigung eine unmittelbare Förderung durch die Zeitläufte entbehren und sich auf die ästhetische Entrüstung zurückziehen. So heißt es z. B. über das 'Feature': „[...] als 'Fitschör' ist das häßliche Wort aus dem Berufsjargon wohl nicht mehr herauszubringen." (II/1955, S. 73) Und bei Haacke (II/1952, S. 175): „Einzelne Vertreter der publizistischen Berufe bemühen sich seit 1945 in unvorbildlicher Nachahmungssucht um die Einbürgerung des Wortstumpfes '*feature*'."

begriffe'), versuchte man auch in der publizistischen Systematik der Schubfach-Gattungslehre, die an der Einlagerung merkmalidentischer Texte unter überhistorischen Begriffen gescheitert war, durch Ausweichen auf allgemeinere Identitätsprinzipien zu entgehen. Im Hinblick auf das Feuilleton wurde die längst in der Praxis herrschende Auffassung übernommen, daß der Spartenbegriff auch die Funktion einer Stilbezeichnung besitze, also den in der Sparte auftretenden verschiedenen Textformen ein gemeinsamer, der 'feuilletonistische' Stil zu eigen sei. Allerdings erhielt dieser Stil nicht – wie in der Staigerschen Poetik – existentiell-ahistorische Grundlagen, sondern wurde – nach dem Verfahren der Stilgeschichtsforschung in den zwanziger Jahren (Strich, Walzel) – von einer bestimmten Epoche abstrahiert und dann auf andere Geschichtsphasen übertragen. „Feuilleton und Feuilletonismus als Stilmerkmal impressionistischer Kulturepochen"[36] aber

„sollen nicht gelten als ein Ausfluß der soziologisch-ökonomischen Bedingungen, sondern sie sind zu nehmen als Erscheinung *geistiger* Entwicklung, existent in einer Situation, die als Altersstufe bezeichnet werden soll."[37]

Die geistesgeschichtliche Betrachtung gerät damit in den Bann eines geschichtsbiologischen Kulturpessimismus, der gesellschaftliche Umwälzungen als Niedergang natürlicher, weil traditioneller Systeme, als Krisen- und Dekadenzzeiten wertet. Aus der organologischen Sicht erhält die von ihr selbst projizierte geschichtliche 'Endphase' ihren negativen Akzent und wird anderen Geschichtsabschnitten vergleichbar, die man ebenfalls vom Naturgesetz des Altersverfalls durchwaltet sieht. Die Analogien jedoch zwischen Geschichte und Natur legen nicht nur das menschliche Subjekt und seine Geschichtsverantwortung lahm, sondern bilden Beschreibungskategorien, deren Verzerrungseffekte lediglich durch rhetorische Eingängigkeit überspielt werden. Schließlich muß die Methode sich doch immer wieder an ihrem historischen Ausgangspunkt orientieren, wenn ihr präzisere Aussagen abverlangt werden.

V. Das bürgerliche Feuilleton

So wenig aber das Feuilleton seine Existenz der Schöpfertat eines Einzigen verdankt[38], so wenig hat seine Ausbreitung und seine Dominanz um die impressionistische Jahrhundertwende mit dem Altern eines naturwüchsigen Kulturwesens zu tun. Auch wenn ein intimer Feind des Feuilletons wie Karl Kraus für den Feuilletonismus im deutschen Sprachraum ‚Heine und die Folgen'[39] haftbar macht, liegt damit kaum eine

---

[36] v. Kotze, Hildegard: Feuilleton und Feuilletonismus als Stilmerkmal impressionistischer Kulturepochen. Diss. Masch. Berlin 1957 – Die Arbeit, die bei Dovifat entstand, ist stark von seiner ideologischen Position geprägt.

[37] S. Anm. 36, S. 25.

[38] Kosyk u. Pruys (dtv-Wörterbuch zur Publizistik, S. 105) übernehmen den Aspekt von 'Männer machen Geschichte': „Seine heutige Bedeutung erhielt das Feuilleton [...] erst durch die ‚publizistische Tat' (Haacke) des Abbé *Julien Louis de Geoffroy,* der am 28. 1. 1800 zum erstenmal im Annoncen-Beiblatt des Pariser ‚Journal des Débats' eine Theaterkritik veröffentlichte."

geschichtliche Erklärung als vielmehr eine weitere Umschreibung des Zeitraums vor, in dem das Feuilleton sich einen festen und großen Platz in der Presse eroberte und im Feuilletonismus einen Stil entwickelte, der häufig auch die übrigen Sparten durchdrang. Die Ursache für das Aufkommen und die Bedeutung des Feuilletons dürfte deshalb besser von der These erklärt werden, daß seine Entwicklung mit der erstarkenden und schließlich beherrschenden Rolle des liberalen Bürgertums im 19. Jahrhundert verknüpft ist. Im Feuilleton eröffnete sich die bürgerliche Ideologie einen publizistischen Freiraum für die geistige Individualität, von Beginn an bezeichnenderweise durch die ästhetische Aura vor der ökonomischen, sozialen und politischen Praxis abgeschirmt wie von ihr getrennt und zur Unverbindlichkeit verurteilt. Genau markiert gerade diese Situation der für heutige Spartengewohnheiten verwunderliche Aufbruch des Feuilletons im Anzeigenteil, nämlich der Einschub einer Theaterkritik in das Annoncen-Beiblatt des Pariser ‚Journal des Débats' an der Wende zum 19. Jahrhundert.[40] Daß die Kunst unter die Ware gerät, ist ein Zeichen ihrer realen Abhängigkeit und zugleich ihrer ideologischen Funktion, den Schein individueller Freiheit über die bürgerliche Wirtschaftswelt zu verbreiten. Das Feuilleton übernimmt die wichtige propagandistische Aufgabe des Liberalismus, ein Bild möglicher individueller Bedürfnisbefriedigung und subjektiver Selbstverwirklichung zu zeichnen, und seine Themen wie seine Perspektive zeigen ziemlich deutlich, wo und wie dem Einzelnen sein Menschenrecht gegönnt wird. „Die Geschichte des Feuilletons [...]", bemerkte man,

„beginnt dort, wo im öffentlichen Leben neben den großen Zeitereignissen ihre Einzel- und Nebenerscheinungen gesehen, dargestellt und zu symbolischer Bedeutung gesteigert werden [...]".[41]

Der Rückzug auf die Randphänomene, ihre „menschliche Betrachtung", so daß „Wesentliches und Allgemeingültiges anklingt und gesinnungsmäßig wirksam werden kann"[42], bedingen die Stoff- und Formenwahl für den Kultur- und Unterhaltungsteil, eine Identität, welche die Grenzen angibt, jenseits derer Menschlichkeit nichts zu suchen hat und sogar kulturwidrig erscheinen kann. Die Fragwürdigkeit seines Metiers, seine Narrenfreiheit im Spielraum von Causerie und Plauderei sucht der heutige Feuilletonist mit der Behauptung einer geschichtlich gefährdeten Werttradition zu kompensieren. Unter Berufung auf Ahnen wie „Tucholsky oder Polgar", von „hemmungslos subjektiver Manier" – in den Schranken des Feuilletons! – schreibt ein zeitgenössischer Repräsentant den „Nekrolog in eigener Sache" und sieht sich als Letzten einer Elite literarischer Kunsthandwerker:

„Er war eben ein Letzter in seinem Fach. Er beherrschte manchmal die Kunst, so altmodische Formen wie das bürgerliche Feuilleton [...] ein letztes Mal zu beleben."[43]

---

[39] Vgl. Kraus, K.: Heine und die Folgen. In: Auswahl aus dem Werk. Kösel-Verlag, München 1957, S. 183–206.

[40] Vgl. Anm. 38.

[41] Dovifat zit. nach von Kotze, S. 21.

[42] S. Anm. 41.

[43] Horst Krüger, Nekrologe in eigener Sache, ‚DIE ZEIT', 7. 8. 1970.

VI. Walser in der Tradition

Robert Walsers Prosa gehört in vielen Zügen dieser Tradition des bürgerlichen Feuilletons an. Wenn er „gern von Spaziergängen" handelt, spiegelt dies wohl kaum „das zu uneingeschränkter Öffentlichkeit gezwungene Dasein des Arbeiters" wider[44], sondern schließt an die Gewohnheit entspannter bürgerlicher Weltbetrachtung an, die in Fausts Osterspaziergang das Motiv klassisch ausprägte, ihre feuilletonistische Hochkonjunktur in den ‚Wiener Spaziergängen' (1877 ff) von Daniel Spitzer erreichte und auch heute noch etwa in ‚Spaziergängen mit Prominenten'[45] den privaten Seitenblick auf schicksalsträchtiges Tun und Treiben eröffnet. Bei Walser bildet ‚Der Spaziergang' sicher nicht nur das Thema eines seiner bekanntesten Prosastücke[46], sondern eine zentrale Perspektive: zunächst die Möglichkeit zur Beobachtung überhaupt und dann ihren Modus der Gelegentlichkeit. Neuerdings will man sogar phänomenologisch bei ihm die „Erzählung als Gang" verstehen und damit ein existentielles Strukturgesetz seiner Prosa aufdecken.[47]

Walsers erste Feuilletonsammlung, ‚Fritz Kochers Aufsätze'[48], fingiert und parodiert eine zählebige Schreibform, die einen genauso geringen Realitätsbezug hat wie der zwischen Politik und Börsenbericht eingeschobene Passus unterm Strich. Auf 'Allgemeingültigkeit' ausgerichtet, wendet man sich in beiden Fällen den Themen zu, die solch immerwährendes menschliches Interesse finden wie eben ‚Der Mensch' oder ‚Die Natur', zu deren Kreislauf ‚Der Herbst' gehört. ‚Freundschaft' und ‚Armut' wird hingenommen, ‚Höflichkeit' immer für nötig gehalten. ‚Die Schule' mit der ‚Schulklasse' und dem ‚Schulaufsatz' ist nicht auszurotten; stets bleibt dem Menschen die ‚Musik', eine ewig ‚Aus der Phantasie' beziehbare Freude, der sich zugesellen ‚Der Beruf', ‚Das Vaterland', ‚Weihnacht' und der ‚Jahrmarkt' in ‚Unserer Stadt', wenn diese nicht von der ‚Feuers-

---

44 Helms (Anm. 11), S. 16/17.

45 Witter, B.: Spaziergänge mit Prominenten. Zürich 1969 (Sammlung von Feuilletons aus der ZEIT, Hamburg) – ders.: Spaziergänge in vornehmen Vierteln. Wo die reichen Leute wohnen [...] (Serie), ‚DIE ZEIT' v. 25. 9. 1970 ff.

46 Vgl. Anm. 9.

47 Rodewald, D.: Robert Walsers Prosa. Versuch einer Strukturanalyse. Bad Homburg v. d. H./ Berlin/Zürich 1970. S. 187 ff.: „Erzählung als Gang" – Wer auf die einfühlsame Interpretation sensibel genug reagiert, wird als Walser-Leser manchen Aufschluß für sich gewinnen. Methodisch ist die Arbeit schwer diskutierbar, weil sie Voraussetzungen für sich in Anspruch nimmt, die wissenschaftlich erst Ziel von Erkenntnis sein können, nämlich um die „Natur der Sache" und den Charakter von „Walsers Werk selbst" zu wissen (S. 15, Anm. 5). Der behaupteten Strenge des Verfahrens widerspricht die pseudokohärente Begrifflichkeit. Aus Walsers Texten übernommene Termini werden semantisch-etymologisch verschoben und, derart mit historischem Gewicht versehen, zum Existential erhoben: „Das Vorläufige läßt sich immer auch wörtlich als das verstehen, was vorläuft, also eingeholt werden muß. [...] S. dazu *Deutsches Wörterbuch* von J. u. W. Grimm, Bd. 12/II, Sp. 1267–1268." (S. 42 oben und Fußnote 4).

48 Walser, R.: Dichtungen in Prosa, IV: Fritz Kocher's Aufsätze. Die Rose und Kleine Dichtungen. Hrsg. v. Carl Seelig, Verlag Helmut Kossodo, Genf und Frankfurt a. M. o. J. (1959) – im folgenden zitiert als „Dichtungen".

brunst' zerstört wird, ein Schicksalsrätsel wie ,Der Commis' und sein lohnabhängiges Wohl und Wehe.[49]

Walser beherrscht bald die feuilletonistische Technik, sein Objekt vom nebensächlichen Detail aus anzugehen, dadurch Vertrautes zu verfremden, Gewohntem neue Originalität abzugewinnen und geschichtlich Verbrauchtes aufleben zu lassen. Bei der Charakterisierung des ,Tell' zum Beispiel konzentriert er sich auf einen einzigen Moment in dessen Fama:

„Dadurch, daß Tell aus der landvögtischen Schiffes-Finsternis, indem er der schaukelnden Tyrannei einen endgültigen verabschiedenden Fußtritt versetzt, auf die hohe Felsenplatte springt, wo ihn Licht, Luft und Befreiung umarmen, dadurch hat er sich auf eine Wolke, glänzend von Bewegungsfreiheit, hinaufgeschwungen, und er hat, indem er sich persönlich befreit, auch schon dem Vaterland den Dienst des Erretters und Befreiers geleistet, er hat schon hier den Drachen getötet, hier schon ist das feige Tyrannen-Ungeheuer erschossen worden, und zwar durch eben jenen endgültig wegstoßenden Fußtritt, durch dieselbe Bewegung also, die ihn selbst ans Licht und auf die Platte schwingt, indem das schwankende Greuel auf den Wellen des empörten Sees weitertreibt."[50]

Weniger die Ansiedlung des heroischen Augenblicks in der trivialen Geste – ein häufig gebrauchtes Mittel desillusionierender Darstellung – als die Insistenz, mit der Walser diesem Zusammenhang Bedeutung verleiht, machen die Eigentümlichkeit seiner Steigerung von Nebensächlichkeiten zu Symbolen aus. Indem er den bedeutungsverleihenden Mechanismus überbetont, läßt er die Diskrepanz zwischen dem Fußtritt als banalem Reflex und dem ihm angedichteten Sinn grotesk hervortreten anstatt sie unmerklich zu überwinden, wodurch die feuilletonistische Kunst müheloser Symbolbildung selbst pervertiert wird. Halten wir uns indessen noch an das herkömmliche Feuilleton und registrieren exemplarisch Walsers Verbindung mit der Tradition. Thematisch hebt er sich kaum von ihr ab. Er reproduziert die Stimmung von Jahreszeiten und Feiertagen, beobachtet das Straßenleben, glossiert die Mode und technische Neuerungen wie das Flugzeug oder den Film, karikiert Gesellschaftstypen und kritisiert als Literat den Jargon der Umgangssprache: Fabelhaft.[51]

„Das Wetter war fabelhaft. Bei dem Wetter mochten Kitsch und Kutsch nicht zu Hause bleiben, und so machten sie sich zum Ausgehen fertig und eilten auf die Straße hinunter. Fabelhaft, dieses Licht in der Straße, murmelte Kutsch, während sie beide rüstig vorwärtsmarschierten, und Kitsch sagte auch: fabelhaft. Bald kam ihnen ein dickes Weib entgegen, dieses Weib wurde von beiden Spaziergängern augenblicklich als fabelhaft empfunden. Sie stiegen in die Elektrische, das sei doch fabelhaft, meinte wieder Kutsch, indem er sich den jugendlichen Bart kratzte, so zu fahren, und Kitsch beeilte sich, seinem Kameraden lebhaft zuzustimmen. Ein Mädchen mit 'fabelhaften Augen' saß im Wagen. Plötzlich fing's an leise zu regnen: fabelhaft! [...]"

Walser bespricht Bücher und Schauspiele, liefert Dichterporträts und spielt mit Inhalten und Formen der Literaturgeschichte. Romantische Gehalte und Motive tauchen

---

[49] Anm. 48, Inhaltsverzeichnis zu ,Fritz Kocher's Aufsätze'.

[50] Walser R.: ,Tell'. In: R. W., VI, S. 23/24.

[51] S. Anm. 50, S. 50/51.

in ungezählten Texten auf, und der Stimmungstopos der Idylle, die Serenitas, gehört zu den festen Versatzstücken seines Bildervorrats:

„[...] der Tag war mild, ein frischer Wind wehte, und am tiefblauen warmen Himmel flogen, gütigen und freundlichen Göttergestalten ähnlich, schneeweiße große Wolken.“ [52]

In den Überschriften schließt er sich Gattungstraditionen wie dem Memento – ‚Denke dran‘ [53] –, dem ‚Traktat‘ [54] oder der ‚Predigt‘ [55] an, und das ‚Märchen‘ benutzt er zu unverhüllter Sozialsatire, indem er den Rittern und Helden die Protagonisten der eigenen Zeit, „schamloseste Profitmacher“, gegenüberstellt. Unmißverständlich zielt er auf den wirtschaftsliberalistischen Staat:

„Es war nämlich in der Welt schon so weit gekommen, daß die Nation, die am meisten Profit machte, als die erste galt, und die Staatsoberhäupter sollten nur noch die Rolle von Geschäftsführern spielen.“ [56]

Doch reicht die von antizivilisatorischen Affekten begleitete Gesellschaftskritik nicht über generelle Formulierungen dieser Art hinaus. Nicht das einmalige und konkrete Moment des Weltzustands wird im bürgerlichen Feuilleton angesprochen, sondern die vermeintliche anthropologische Konstante, Fähigkeiten und Eigenschaften des Menschen schlechthin, die eine kosmologische Ordnung stiften. In der literarischen Beschreibung von Mensch und Natur weisen allegorische Figuren die im Grunde waltenden Ordnungsmächte aus:

„Es war Vorfrühling; der nahegelegene Marktplatz sah mit seinem netten Getümmel von Menschen und Waren im hellen Sonnenschein und in der klaren Frühjahrsluft zum Entzücken aus. Aus den umliegenden Gärten und durch alle engeren und breiteren Gassen tönten die vielverheißenden, liebreizenden, schmelzenden Stimmen der Vögel. Altbekannte, vertrauenswürdige Farben zeigten sich da und dort, und es schien von überall her nach Liebesbedürfnis und Liebesglück zu duften. Stimmen und wieder andere Stimmen wurden laut, und die Kinder benützten Straßen und Plätze, um übermütig zu spielen. Alle hör- und sichtbaren Töne und Farben gingen ineinander über. Freundlicher, nachbarlicher als sonst schienen alle alten und jungen Menschen auszusehen. Alle guten Dinge schienen einander nah verwandt; alles war angenehm erregt, beseelt, belebt. Alles Verschiedene, Zerstreute hing zu einem wohlwollenden, glücklichen Ganzen zusammen. Freude, Güte und nachsichtiges Gönnen schienen als helle, holde Gestalten unter den Leuten erquicklich einherzuspazieren.“ [57]

Natürlich kann diese Passage auch literaturgeschichtlich ausgelegt und als Beispiel für den Impressionismus Walsers aufgefaßt werden. „Freude, Güte und nachsichtiges Gönnen“ wären dann die psychologischen Momente, welche auf die Stimmung des Vorfrühlingstags antworten und die Akzente der Betrachtung setzen. Das impressionistische Stimmungsbild in seinem Übergang zur Lyrik ermöglicht im Feuilleton wie kein anderes Genre die Fiktion des frei sich entfaltenden Subjekts. Wichtig allein ist das

---

[52] Walser R.: ‚Maler, Dichter und Sängerin‘. In: R. W., VI, S. 173 ff.
[53] S. Anm. 52, S. 369/70.
[54] S. Anm. 52, S. 372.
[55] S. Anm. 52, S. 376.
[56] S. Anm. 52, S. 107/8: Märchen (I).
[57] Walser, R.: ‚Marie‘, in: R. W., III, S. 66/67.

Individuum, das in seiner Reaktion auf den Umweltreiz sich selbst erlebt und von der Realität nur den Abglanz schätzt, der das Erlebnis stimuliert. „Ist der Schimmer auf einem Gegenstand nicht tausendmal schöner als letzterer selber?“ [58] Walser ist wie andere impressionistische Dichter der atmosphärischen Genauigkeit seiner Sujets nachgegangen und hat zum Beispiel den „frühen Morgen“ in „etwas Nasses, Nebliges, Kühles“, die „Mittagszeit“ in „Heißes, Weißes und Grünes“ aufgelöst.[59] Sein Instrument der Analyse und Darstellung, die Sprache, besitzt dabei den Wert eines Erkenntnismittels, das die Sinneseindrücke geradezu vorformt: „Wörter gibt’s, die sich augenblicklich um klanglicher Bedeutung willen anheimeln.“ [60] Wird die Außenwelt zum Produkt von Eindruckskategorien und verfügbar jeglicher Einbildung des Subjekts, dann richtet sich die Erfahrungsneugier nicht mehr auf exorbitante Wirklichkeit, weiße Flecken der realen Geographie, sondern erzeugt die Abenteuer als Exotik der Innerlichkeit. Walser hat ausgiebig an der kulturhistorischen Tradition des Orientalismus teil, der eine Regressionsbewegung gegen die technische Zivilisation im 19. Jahrhundert unterstützte und, gespeist von einem Rest Kolonialromantik, in immer rascher erschlossenen Fernen das einfache Leben und paradiesische Ursprünglichkeit ansiedelte. Das Bewußtsein des ihr anhaftenden illusionären Moments genießt diese Einstellung in der Überzeugung, daß Fremdheit letztlich doch nur einer innerlichen Leistung entspringt.

Walsers provinziell-beschränktes Dasein allerdings, das nicht auf der Bescheidung des souveränen Geistes, sondern der Dürftigkeit materieller Umstände beruhte, läßt seinen Romantizismus eher als erzwungene Verinnerlichung und Kompensation unerfüllbarer Lebenswünsche erscheinen. Doch wie dem auch sei: in Städtebildern, einem geläufigen Sujet des Feuilletons, notiert er wie viele vor ihm und nach ihm den Reiz perspektivischer Vertauschung von Fremdheit und Vertrautheit:

„Jedes Inland ist stets zugleich auch Ausland, da jeder Einheimische, sobald er sich in fremder Leute Heimatland einheimisch machen will, als Ansiedler oder Ausländer dasteht. Eine Heimat ist für einen Fremden fremdes Gebiet.“ [61]

Die Exotik der Innerlichkeit aber braucht keinen Ortswechsel, sondern kann sich an einem alltäglichen Vorfall oder Anblick entzünden, der auf gespannte Erwartungsbereitschaft trifft. Es kommt vor,

„daß angesichts sommerlich-bäuerischer Gärten, die so voll üppig blühender, kräftiger, oft sogar wilder Phantasie-Schönheit sind, sich die Seele nach irgendeinem Indien oder auf eine Südseeinsel versetzt fühlen kann.“ [62]

Oder begegnete

„im Treppenhaus [...] eine Frau, die wie eine Spanierin, Peruanerin oder Kreolin aussah und etwelche bleiche, welke Majestät zur Schau trug.“ [63]

---

[58] S. Anm. 57, S. 204.
[59] S. Anm. 57, ‚Wanderung‘, S. 7.
[60] Walser, R.: ‚Freiburg‘, In R. W., VII, S. 32.
[61] R. W. IX, S. 67/68 – s. dazu auch ‚Ein Flaubertprosastück‘, ebd. S. 350.
[62] R. W., III, S. 187.
[63] S. Anm. 62, S. 209 (Aus: ‚Der Spaziergang‘).

„Heimlich für die schöne Figur der Frau B. [...] zu schwärmen", führte dazu, daß man sie 'Orientalin' nannte." [64] Und allein mit sich selbst, wenn einem „ganz märchenhaft zumute" ist, sagt man zu sich: „Ich Malaye." [65] Schließlich geht aus exotischem „Träumen" ein utopisches Land mit einer konfliktfreien Gesellschaft hervor:

„Ich stelle mir China als ein Liebes- und Friedensland vor, wo die Gesetze weich sind wie die Luft, die über den sittsamkeitsgefüllten Gegenden säuselt. Städte und Länder sind wie Lieder, die von Dichtern gesungen werden, und der Himmel liegt näher bei der Erde als anderswo. Weshalb bild' ich mir das ein?

Wenn es irgendwo gute Menschen gibt, so leben sie in China, das eine Art Reich der Mitte ist. Dort ist niemand so töricht, sich für besser zu halten wie seinen Mitmenschen. Ich denke mir die Chinesen als ebenso höflich wie glücklich, und als ebenso freundlich wie dienstfertig. Bescheidenheit ist dort die Krone jedes Empfindens. Alle haben das Wohl aller im Auge. ... [usw.]" [66]

Im Spiegel ihrer Ideologie erhält die existierende Gesellschaft ihr Gegenbild vorgehalten, und auch diese Form der Moralkritik reicht bis in die chinoise Einkleidung motivgeschichtlich weit zurück.[67]

VII. Originalität und Modernität

Gattungs- und sozialhistorisch, stil- und motivgeschichtlich ist Robert Walsers Werk auf verschiedenste Weise verständlich zu machen. Das Feuilleton als einer der möglichen Ausgangsbereiche bietet dazu Schlüsselbegriffe, die auch im Selbstverständnis des Dichters enthalten sind. Seine kurze Prosa kann insgesamt für einen „Alltagsvertiefungsversuch" [68] gelten, bei dem Walser in Trivialität und Gewöhnlichkeit ein Faszinosum erblickte. Konzentriert bemühte er sich,

„solche einfachen und zugleich merkwürdigen Alltagssächelchen zu sehen, die in ihrem immerwiederkehrenden Sichgleichbleiben etwas Köstliches enthalten." [69]

Wenn jedoch damit nur die feuilletonistische Tätigkeit bezeichnet wäre, das gemeine Leben ein bißchen poetisch zu verklären, fiele Walser unter seinen vielen Zunftgenossen weiter nicht auf. Indessen muß man wirkungsgeschichtlich feststellen, daß er von Beginn an diese Funktion des Feuilletons offensichtlich nicht zur Zufriedenheit seiner Leser erfüllte, ja daß seine Diktion bei ihnen ausgesprochenen Unwillen hervorrief. Ein Exemplar von ‚Fritz Kocher's Aufsätzen', das er einer Sängerin verehrt hatte, erhielt er mit dem Bescheid zurück, zuerst einmal Deutsch zu lernen, bevor er Geschichten schreibe.[70]

Sein schweizerischer Förderer J. V. Widmann, selbst ein Feuilletonist von Rang[71], der Walsers erste Arbeiten im Berner ‚Bund' vorgestellt hatte, berichtete bei der Rezension des Buches von den geteilten Reaktionen auf die Vorabdrucke:

---

[64] S. Anm. 62, S. 312.
[65] R. W., VII, S. 157.
[66] S. Anm. 65, S. 77.
[67] Vgl. Rose, E.: China in der deutschen Literatur. Wirkendes Wort V (1954/55), S. 347–356.
[68] R. W., IX, S. 132.
[69] S. Anm. 68, S. 120.
[70] Vgl. Robert, M.: Sur le Papier. Essais. Grasset, Paris 1967: Robert Walser, S. 120.
[71] Vgl. Müller, U.: J. V. Widmann als Feuilletonist. Diss., Bern 1952.

„Am meisten [...] ärgerte manche Leser, daß sie diese Sachen, obschon sie sie 'absurd' fanden, doch immer zu Ende lesen mußten. Es lag etwas Suggestives in Walsers Art, seine eigentümlichen Gedanken so ohne Hast und Nachdruck fast wie sanft gleitende Billardbälle auf grünem Tisch hervorrollen zu lassen. Und ein Traumzauber umfing den Leser mit der Ahnung von etwas ganz nahe vorbeigeschwebtem sehr Schönem." [72]

Von den Zeitungsredakteuren, die Walser schätzten, mochten etliche dennoch seine Texte dem Publikum nur dosiert und in Abständen zumuten. So bezeichnete es der führende Literaturkritiker der ‚Neuen Zürcher Zeitung', Eduard Korrodi, als jeweiliges Wagnis,

„in der NZZ ein Feuilleton von Walser erscheinen zu lassen; er erhalte nachher jedesmal Briefe von verärgerten Lesern, die ihm drohten, die Zeitung abzubestellen, wenn der Unfug nicht aufhöre." [73]

Ein Leser gar des ersten veröffentlichten Prosastücks von Walser hat seinem Zorn unmittelbar Luft verschafft und den Schluß des ‚Greifensees' (Der Bund, 2. 7. 1899) im Exemplar der Zürcher Zentralbibliothek mit der bissigen Notiz versehen:

„Zu modern und – überspannt. Schade für's Papier. Nichts als 'ich' und 'es'; Egoismus bis ins Extrem, bis zur Dummheit. Schöner Greifensee, du tust mir leid ob solcher – Beschreibung." [74]

Zieht man die Emotion von diesem Urteil ab, dann bleiben durchaus richtige Einsichten. Den wirklichen Greifensee konnte tatsächlich kein Leser geschildert finden. Statt dem mimetischen Prinzip beherrscht den Text eine ausgestellte Innerlichkeit – ein dominierendes Ich, das sich Realität als Selbstprojektion gegenübersetzt und ständig zwischen Egozentrismus und Selbstentäußerung vibriert. Fraglos wird hier eine Bewußtseinslage deutlich, welche die geschichtlichen Tendenzen bis ins Extrem vortreibt und schließlich so überspannt, daß sie ad absurdum geführt werden. Schon während der Darstellung Walsers auf dem Hintergrund der feuilletonistischen Tradition zeichneten sich ihr gegenüber Verschiebungen ab, die seine eigentümlich outrierte Position profilierten. Indem er Themen und Techniken seines Genres zu ihren äußersten Konsequenzen steigerte, legte er das Schema jenes Bewußtseins bloß, in dem die Elemente des bürgerlichen Feuilletons funktionieren.

Die Allgemeingültigkeit von Aussagen wird unangreifbar und absolut, wenn jeder Begründungsnexus aufgehoben ist und an seine Stelle die bare Tautologie tritt. Man zögert zunächst, einem Satz Fritz Kochers über „Unsere Stadt" mehr Bedeutung zuzumessen als dem Sprachspiel jeder ähnlichen schülerhaften Stilblüte: „Unsere Stadt hat viel Industrie, das kommt, weil sie Fabriken hat." Aber die Lust am Witz aus getäuschter Erwartung will sich bei der nächsten Leerformel nicht erneuern: „Ich weiß nur, daß alle armen Leute in der Fabrik arbeiten, vielleicht zur Strafe, daß sie so arm sind." [75] Es fällt jetzt wesentlich schwerer, die Darstellung einer Ideologie zu verkennen, in welcher der Gesellschaftszustand nicht mehr hinterfragt wird, weil er Naturcharakter gewonnen

---

[72] Zit. nach: Mächler, R.: Das Leben Robert Walsers, Helmut Kossodo Verlag, Genf und Hamburg 1966, S. 82.

[73] S. Anm. 72, S. 165/66 (nach Schibli, E.: Die Vorlesung. Im ‚Kleinen Bund' vom 15. 2. 1957).

[74] Zit. nach Rodewald, S. 14, Anm. 4.

[75] R. W., Dichtungen, S. 40.

hat. Bei Walser freilich ist dieses Problem im weiteren Horizont des Verhältnisses von Sein und Bewußtsein zu reflektieren. Zur geschichtlichen Konkretion der Problematik ließe sich vielleicht die parallel zu seinem Schaffen verlaufene Entwicklung der Phänomenologie heranziehen, Husserls Versuch, das „natürliche Bewußtsein von der Unabhängigkeit und Überlegenheit der Welt" zu rehabilitieren und es mit dem „gleichwohl konstituierenden reinen Bewußtsein als dem Inbegriff aller Vergegenwärtigungsmöglichkeiten" zu vermitteln.[76] Als „Grundstrukturen" sind die entsprechenden Aspekte von Walsers Werk, ‚Welt und reines Sein', in Jochen Grevens Dissertation herausgearbeitet, doch erscheinen sie dort nicht in ihrer historischen Dimension.[77]

Walsers Modernität ist in Vergleichen mit der schon kanonisierten Literatur an hervorstechenden Einzelzügen seiner Texte immer wieder konstatiert worden. Beim Erzählen den Erzählvorgang mit zu beschreiben, das Erzählte als bloße Fiktion, als willkürliche Erfindung bewußt zu halten, ist ein Hauptmoment seiner Darbietungsweise:

„By putting the narrator's time and the narrator's observations and reflections alongside the subject's perceptions, Walser succeeded in a characteristically modern combination of essayism and lyricism." [78]

Scharf akzentuiert er die ontische Geschiedenheit zwischen einem in sich verfangenen Bewußtsein und dem in sich ruhenden Sein der Dinge, die, keinem Verständnis einbeziehbar, in ihrer Identität und Autonomie nur tautologisch auszudrücken sind: „Das Bier in den Gläsern besaß das Aussehen, das ihm eigen sein mußte." [79] Hier gibt der Impressionismus den psychologischen Bezug auf, der die Eindrücke den Kategorien des Subjekts unterwirft. Die Objekte verharren in ihrer „eigenen Physiognomie" [80] und führen – zu süchtiger Versenkung einladend – „ihr unerforschtes, fröhliches Dasein" [81], so „die Blätter des wunderbargroßen, weiten Waldes" [82], die das Phänomen des 'Blätteligen' [83] verkörpern oder eine Brücke, welche „dieses Besondere, Charakteristische lebhafter empfinden" läßt, „womit [...] das ausgesprochen Brückliche" gemeint ist.[84] Ein solches Phänomen sui generis bildet auch die „Östreichelei", eben wegen ihrer „feuilletonistisch-albernen" [85] Auffälligkeit zur Bezeichnung eines spezifischen Verhaltensmoments gewählt. Bestreitet man der Albernheit und Sprachkomik nicht ihren Hintersinn, kann Walser geradezu als ein Karl Valentin des Feuilletons gelten. Wie dessen Conférence ent-

[76] Plessner, H.: Husserl in Göppingen. In: Diesseits der Utopie. Ausgewählte Beiträge zur Kultursoziologie, Eugen Diederichs-Verlag, Düsseldorf/Köln 1966, S. 153.

[77] Greven, K. J. W.: Existenz, Welt und reines Sein im Werk Robert Walsers. Versuch zur Bestimmung von Grundstrukturen, Diss. Köln 1960.

[78] Avery, G. C.: Inquiry and Testament. A Study of the Novels and Short Prose of Robert Walser, Philadelphia 1968, S. 195.

[79] R. W., IX, S. 57.

[80] S. Anm. 79, S. 11.

[81] S. Anm. 79, S. 54

[82] S. Anm. 79.

[83] S. Anm. 79, S. 414.

[84] S. Anm. 79, S. 11.

[85] Rodewald, S. 187/Anm. 1.

sprungen, wirkt der verb-metaphorische Krampf: „Meine Frau wird mich täglich mit Vorwürfen bedecken, einen Überzieher kann man jetzt ja brauchen.“ [86] Der Widerspruch zwischen metaphorisch-idiomatischer Funktion und ursprünglicher Semantik weckt den Zweifel an der sprachlichen Relevanz. Von der Wirklichkeit abgetrennt ist die Sprache, wenn sich ihre Logik mit jener der Realität nicht mehr deckt:

„Er tat, was ihm befohlen wurde, ging in die Küche, konnte sie aber nicht finden. Ging er denn hinein, ohne daß sie ihm zu Gesicht kam? Hier schlich sich ein Schreibfehler ein.“ [87]

Der Beschreibung, so darf man ausführen, kommt ihr Gegenstand abhanden, womit sie zum Selbstzweck wird und nur noch ihre eigene Unverbindlichkeit demonstriert. Walser erweist in dieser Hinsicht zudem seine Position durch hypertrophe Anwendung eines historischen Stiltyps, dem impressionistischen Bemühen um das treffende Attribut. Er führt das 'Ringen' um Signifikanz selbst vor, indem er etwa unterschiedliche oder sogar gegensätzliche Epitheta aneinanderreiht, wodurch das anvisierte Objekt gerade nicht präzisiert wird, vielmehr seine subjektive Manipuliertheit hervortritt und seine Gegenständlichkeit ins Vage zerfließt oder sogar verschwindet:

„Ich trat ins nächste Gasthaus, wo ich mir ein hübsches, gesundes, gutes, reichliches, tapferes, braves, wehrhaftes, leichtes Abendessen auftischen und auftragen ließ.“ [88]

Die Intention des Stils wird besonders noch dadurch hintertrieben, daß an Stelle singulärer Bezeichnungen ausgesuchte Banalitäten auftreten. Dieses stilistische Indiz aber verweist auf die Funktion eines Phänomens in Walsers Werk, das die bürgerlich-idealistische Feiertagskunst genau für ihr Gegenteil hält, nämlich die Erscheinung des Trivialen und des Kitsches. Die Idiomatik der Umgangssprache, die ausgelaugte Ornamentalik des provinziellen Feuilletons, die mechanisch sich einstellende Wendung von Groschenheft, Schundroman und literarischem Klischee, dies alles montierte Walser zum Verdruß geistreich aufgelegter Feuilletonleser mit eingestandener Absicht zusammen.

Es ist kein Zufall, daß Christian Morgenstern ihn förderte, der zum Beispiel

„aus Elementen des sekundären Bereichs ein ‚China‘ wiedererfunden (hat): ‚Nachdenklich nickt im Dämmer die Pagode [...] So wandelt sie die sieben ängstlich schmalen, aus Flötenholz geschwungnen Tempelbrücken zum Grabe des vom Mond erschlagenen Hundes [...]‘“.[89]

Zum Nonsens arrangiert, parodiert der exquisite Kitsch sich selbst. Die Enthüllung des irrealen, reinen Exotik-Klischees bildet dabei den neuen künstlerischen Akt. Er reißt

---

86 R. W., III – vgl. z. B. noch: „Dicke Wintermäntel werden ihre Rolle bald ausgespielt haben. Jeder wird froh sein, wenn er unbemäntelt umherstehen und *-gehen* darf. Gottlob gibt es noch Dinge, womit alle einig *gehen* [...]“ Aus: ‚Schneeglöckchen‘. In: R. W., VII, S. 14 – Kursive Stellen: Hackert

87 S. Anm. 86, S. 365/66 – vgl. z. B. noch: „Weil es nicht anders als anders kommen konnte, kam es anders. Verdiene ich für diesen schwierig zu erfassenden Satz eine Rüge?“ (R. W., VII, S. 290).

88 S. Anm. 86, S. 24 – vgl. z. B. noch: ‚Reisebericht‘ (vgl. Anm. 86), S. 160 ff – Rodewald, S. 135, hat diesen „stilistischen Vorgang“ als „Destruktion“ beschrieben.

89 Zimmer, D. E.: Andalusien ist natürlich weiß. In: ‚DIE ZEIT‘, 10. 4. 1970 (Rez. von Firbank, R.: Die Exentrizitäten des Kardinals Pirelli betreffend).

den Bürger aus der Wohnlichkeit dieser seiner überkommenen Vorstellungen und Formeln:

„Unter bürgerlich verstehe ich das, worin sich der Mensch bisher geborgen gefühlt hat. Bürgerlich ist vor allem unsere Sprache: Sie zu entbürgerlichen die vornehmste Aufgabe der Zukunft.“ [90]

Morgensterns Programmatik entspringt derselben Situation, der Walser unterworfen war, der Isolation und Verabsolutierung des Subjekts, das die entfremdete objektive Welt durch „phänomenale“ [91] Projektionen seines Sensoriums ersetzt und die Freiheit zu seiner Selbstverwirklichung in den Raum der Phantasie verlegt:

„All dies mein Lehn aus Phanta's Hand! / Ein König ich ob Meer und Land, ob Wolkenraum, ob Firmament! / Ein Gott, des Reich nicht Grenze kennt. Dies alles mein! Wohin ich schreite, / begrüßt mich dienend die Natur [...].“ [92]

Es handelt sich jedoch in der Anschauung wie in der Beschreibung um eine illusionäre Natur, hergestellt in der Idee oder dem künstlichen Medium des sprachlichen Ausdrucks, das von der Realität tief geschieden ist. „Sprache“, so formulierte auch Morgenstern die Skepsis seiner Zeit, „ist in unsere termini zerklüftete Wirklichkeit.“ [93]

Walser frustiert seine Leser häufig dort, wo die Titel der Feuilletons, ein klassisches Theaterstück oder ein Dichtername, kultiviertes Wohlbehagen durch reizvolle Verfremdung von Altbekanntem versprechen. Er schaltet die mimetisch-informatorische Funktion der Sprache aus, indem er die Gegenstandsrelation durch abstrahierende, verallgemeinernde Begriffe bis zur Unkenntlichkeit schwächt. Nicht mehr die bekannte Oper deshalb stellt er dem Publikum vor, sondern nur noch „Worte über Mozarts ‚Zauberflöte‘“, in denen Prinz Tamino zu „einem mit anmutigen Gliedmaßen und einem lebhaft empfindenden Innenleben begabten, aus anscheinend angenehmem Hause abstammenden jungen Menschen“ und die Königin der Nacht zu „einer Frau von Rang und Ansehen“ verblassen.[94]

Nun kann man im Falle Robert Walsers die Teilhabe an der epochalen Sprachskepsis und Sprachkrise mit besonderer Berechtigung auf Symptome einer psychischen Störung untersuchen. Ganz abgesehen von seiner späteren Erkrankung und ohne gesellschaftstheoretisches Konzept läßt sich behaupten, daß „bei einem in solcher Einsamkeit und Abseitsstellung arbeitenden Autor“ [95] das subjektivistische Bewußtsein zum Autismus, die Hypersensibilität gegenüber der Außenwelt zu Erscheinungen der Depersonalisation

---

[90] Morgenstern, Ch.: Stufen. Piper-Verlag, München 1922, S. 101.

[91] ders.: Die Windhosen. In: Gesammelte Werke. Piper-Verlag, München 1965, S. 259.

[92] S. Anm. 90, S. 17, Phanta's Schloß.

[93] Morgenstern, Ch.: Stufen. München 1922, S. 101 – vgl. zur „viel diskutierten *Sprachkrise* der Moderne“ den Aufsatz von Ziolkowski, Th.: James Joyces Epiphanie und die Überwindung der empirischen Welt in der modernen deutschen Prosa. DVjs 1961, S. 594–616.

[94] R. W., IX, S. 315/16 – Vgl. zur 'Entmaterialisierung' auch Rodewald, S. 42, Anm. 5 und Anm. 7. – Den Sachverhalt trifft, obwohl aus anderem Grund gewählt, auch der Titel von Middletons Aufsatz: The Picture of Nobody. (Revue des Langues Vivantes/Tijdschrift voor levende talen, Jg. XXIV/1958, H. 5, S. 404–428.)

[95] Jochen Greven im Nachwort von R. W., IX, S. 460.

tendieren werden.[96] Gewiß ist der Anflug von schwarzem Humor nicht zu leugnen, wenn Walser berichtet, daß er

„Gelegenheit hatte, zu lesen: SEINE HAND LAG IN DER IHRIGEN. Diese so unabhängige Hand, die da ganz für sich hin zu gehen schien, um einer andern Hand einen Besuch abzustatten, machte mich lachen [...]“ [97].

Hier beruht der Effekt immerhin noch auf dem vorsätzlichen Mißverständnis, der sprachlichen Entstellung von Wirklichkeit durch Ausblenden des Kontextes. Eine tatsächliche Depersonalisation jedoch, bei der „Teile des Körpers [...] als fremd erlebt (werden)“ [98], dürfte in folgender Selbstbeobachtung beschrieben sein: „Ich ging und ging, es war ein fortlaufend stilles Schaffen mit den Beinen.“ [99] Hier taucht aber die individuell-psychologische Begründung für den Walserschen „Spaziergang“ [100] auf, der wie andere Motive nur noch den Begriff mit der Tradition gemein hat. Sicher ist er „die noch gebliebene Möglichkeit der Berührung mit der Welt für den aus allen Lebensverhältnissen zurückgezogenen Einzelnen“. Mit „Entspannung und Sammlung“ indessen, so betonte man zu Recht, hat er nichts zu tun, vielmehr enthält er gerade das Gegenteil: „körperliche Anstrengungen und Entbehrungen, [...] mühsame Zurücklegung von langen Strecken“, wobei sich in der „motorischen Bewegung“ die physische Person verselbständigt und gleichsam nur als Träger eines abgespaltenen „rezeptiv-kontemplativen“ Bewußtseins fungiert, dessen Oszillationen induziert, beobachtet und genossen werden.

Nicht in der autistischen „Privatlogik“ [101] seiner Prosa ist Walsers Originalität und Aktualität zu suchen, sondern in seiner Analyse und Objektivierung von Bewußtseinsstrukturen überhaupt. Sie bilden für ihn bei aller ironisch-kritischen Darstellung eine neue Verläßlichkeit, so daß er „dem Gedächtnis [...], das eine fröhliche und schöne Welt für sich ist“, eine Wirkung abgewinnt, die ihn „stark macht“.[102] Andererseits hat den Rückzug auf die intelligible Reserve und ihren Modus von Freiheit unverkennbar eine zwangsdurchwaltete Realität verursacht, der Fröhlichkeit und Schönheit abhanden kamen. Daß sie allgemein als natürlich deklariert wird, beseitigt nicht ihre fühlbare Inhumanität: „Vielleicht leiden wir alle an Allzuselbstverständlichem!“ [103] Wie aber kann man sich gegen die Übermacht der Zustände wehren?

Walser war als Feuilletonist auf das Gängige und Populäre eines bürgerlichen Kunst-

---

[96] Eine psychopathologische Deutung der Sprachkrise bei Hofmannsthal versuchte: Wunberg, G.: Der frühe Hofmannsthal. Schizophrenie als dichterische Struktur. Kohlhammer Verlag, Stuttgart 1965.

[97] R. W., VII, S. 166/67.

[98] Spoerri, Th.: Kompendium der Psychiatrie. Frankfurt a. M. 1965, S. 16.

[99] R. W., VII, S. 139.

[100] Vgl. zu dem Folgenden und den Zitaten: Naguib, N.: Robert Walser, Entwurf einer Bewußtseinsstruktur. Wilhelm Fink Verlag, München 1970, S. 156–58.

[101] Spoerri führt zur „‘autistischen’ (d. h. ‘selbstischen’)“ Haltung aus, daß ihr „der Sinn für die reale Außenwelt verloren geht“ und daher „der Umwelt nur entsprechend der eigenen ‘*Privatlogik*’ begegnet (wird).“ S. Anm. 98, S. 15.

[102] R. W., IX, S. 433.

[103] S. Anm. 102, S. 24.

gewerbes verwiesen, das Nutzen aus der allbeherrschenden Stellung seines Mediums zog und sich ihm anzupassen hatte. Wie er auf die erdrückende Wirklichkeit künstlerisch reagierte, das muß die Aufmerksamkeit unserer Zeit erregen, wo bildende und literarische Kunst noch ungleich viel stärker der Konkurrenz von Massenmedien im Anspruch auf das allgemeine Bewußtsein ausgesetzt sind. Die Kunstsoziologie gibt in diesem Wettstreit der genialischen Gebärde keine Chance mehr:

„Nicht mehr der auftrumpfende Schöpfergeist, der seine künstlerische Rechtfertigung fordert, sondern das redliche Eingeständnis *subjektiver Unselbständigkeit*, mimetischer Verfallenheit an das in herrschsüchtiger Hülle und Fülle schon Seiende, rührt das sich zum Ende wendende Jahrhundert an seinen Künstlern.“ [104]

Wollen sie ihren Produkten irgend noch Verbindlichkeit anheften, um für Originalität überhaupt einen Weg zu bahnen, dann sind sie zur Mimikry des Gewöhnlichen gezwungen:

„Hinter der oft gerügten Anpassungslust der heutigen Kunst an die raffiniert verschnittene Bilderwelt des Konsums und jeder optischen Agitation steht die richtige, künstlerisch nicht immer geglückte List, durch Angleichung ans schlechte Allgemeine und seine dekorative Gewalt diese in den Griff der unterlegenen individuellen Anschauung zu bekommen.“ [105]

Diese zur Erklärung von Pop- und Op-Art gezogene Konsequenz aus der Situation von Plastik und Malerei gilt auch für das Kunstbemühen inmitten der immensen schriftlichen Reproduktion menschlicher Tätigkeit und Untaten, in der die Presse eine herausragende Rolle spielt:

„Diejenigen Geschehnisse, die jederzeit in der Zeitung stehen können, sind doch immer die packendsten, das Gewöhnliche enthält Geheimnisvolles, im Trivialen liegt Überirdisches.“ [106]

Rätselhaft nämlich stellt es sich dar in seiner unbedarften Selbstrechtfertigung, die den Schein von Ursprünglichkeit annimmt, wo faktisch nur Abklatsch existiert.

Mit Grund zitiert eine Rezension neuester deutscher Prosa Gottfried Benns Notiz zu diesem paradoxen kulturhistorischen Phänomen:

„[...] den Menschen gibt es gar nicht mehr, er wird zusammengesetzt aus Redensarten, verbrauchten Floskeln, ausgewetztem Sprachschatz, alles steht gewissermaßen in Anführungsstrichen – und das Seltsame ist: Es wirkt auf Sie gewissermaßen echt.“ [107]

Ein Teil der zeitgenössischen Literatur bemüht sich um die Mimesis dieser Fälschung und entdeckt als einen ihrer Vorläufer, der ästhetisch von der Paradoxie gebannt war, Robert Walser. In der erwähnten Besprechung, die Jürgen Beckers „Umgebungen“ vorstellt, ist der literaturgeschichtliche Ort und der geistesgeschichtliche Hintergrund für die anschwellenden Texte zu diesem Problem umrissen:

---

[104] Gorsen, P.: Subjektlose Kunst. Neue Einstellungen des Kunstgenusses. In: Das Bild Pygmalions. Kunstsoziologische Essays, Rowohlt Verlag, Reinbek/Hamburg 1969, S. 25.

[105] S. Anm. 104, S. 24.

[106] R. W., VI, S. 22.

[107] Zit. nach: Ross, W.: Die Kläranlage muß sein. Jürgen Beckers drittes Prosabuch ‘Umgebungen’. (Rez.: Becker, J.: Umgebungen. Frankfurt a. M. 1970), ‚DIE ZEIT‘, 25. 9. 1970

„Eine Zeitlang war es eine Sparte für Spezialisten, 'Experimentelle Prosa', 'konkrete Poesie', Heissenbüttel, die Wiener Sprachspieler, Wittgensteins großer Schatten im Hintergrund. Handke gab der Sache einen Look, und nun wird sie allerseits gehandhabt, von Marie Luise Kaschnitz bis zu Martin Walser: eine neue Form." [108]

Daß jene 'Form' keinen anderen Gattungsbegriff mehr in Anspruch nimmt als den des bloßen 'Textes', ist nur ein weiterer Beleg für ihre Affinität zu Robert Walsers Feuilletons mit ihrer formalen Indifferenz, die sie unter anderem der Sparte verdanken, in der es mit Form und Inhalt nicht so genau genommen wird.

„Was soll ich mit den Gefühlen anfangen, als sie wie Fische im Sande der Sprache zappeln und sterben zu lassen?" [109]

Robert Walsers Rückzug auf den in sich kreisenden Sprachkosmos, in dem der originäre Ausdruck verloren geht, praktiziert heute Peter Handke in seinen Sprechstücken:

„Die Fliegen werden sterben wie die Fliegen. – Die läufigen Hunde werden schnüffeln wie läufige Hunde. – Das Schwein am Spieß wird schreien wie am Spieß [...]" [110]

Aber die Spiegelung von Talmiglanz, das Spiel mit der inhaltslosen, platten Metapher und ihre isolierte, schmerzhafte Konkretion sind nicht die einzigen Effekte solcher Texte. Sie zielen darüber hinaus kritisch auf die *Struktur und Funktion* von *Sprache* als *manifestem Bewußtsein,* auf „Die *Innenwelt* der *Außenwelt* der *Innenwelt*".[111] Die in Tautologien überführten Redensarten zeigen, wie ein Bewußtsein in der Vermittlungsphäre, in Idiomatik, Grammatik, Roman oder Film hängenbleibt und damit seiner operationalen Möglichkeiten, der Einwirkung auf die Realität, beraubt wird. „Der Hoteldiener, das ist die Erinnerung an Hoteldiener in Fernsehfilmen [...] Freizeit, das ist die Fortsetzung des Fortsetzungsromans." [112] So beschreibt es überdeutlich ein Text jüngerer Provenienz. Sein Verfasser, der Schriftsteller Wolf Wondratschek, schreibt auch eine Dissertation über Robert Walser.[113]

---

108 S. Anm. 107.

109 Walser, R. zit. nach: Mächler, R.: Das Leben Robert Walsers. Genf und Hamburg 1966, S. 53.

110 Handke, P.: Weissagung. In: Publikumsbeschimpfung und andere Sprechstücke. Suhrkamp Verlag, Frankfurt a. M. 1966, S. 53.

111 Titel einer Textsammlung von Handke. Kursive Stellen: Hackert.

112 Zit. nach: Sauer, K.: „Dämmerung, das ist die Kinokarte für die erste Reihe. Mit Formeln auf gebräuchliche Denkweisen aufmerksam machen: Versuch, Wolf Wondratschek zu verstehen" (Rez.: Wondratschek, W.: Ein Bauer zeugt mit einer Bäuerin einen Bauernjungen, der unbedingt Knecht werden will, München 1970), ‚Die Welt der Literatur', 24. 9. 1970.

113 Vgl. Rodewald, S. 43, Anm. 8 – Wolf Wondratschek zeichnete auch verantwortlich für das Robert Walser gewidmete Heft Nr. 12 von ‚Text und Kritik', wo er zudem über die Beziehungen zwischen Robert Walser und Franz Kafka schrieb.

Bernd Hüppauf

Zu Robert Walsers frühen Romanen

Der mittlere von Walsers drei Romanen aus der Berliner Zeit, ‚Der Gehülfe‘, beginnt mit einer für das ganze Walsersche Werk bezeichnenden Szene: Joseph Marti, die Hauptperson, steht vor der Tür; er steht mit Regenschirm und billigem Koffer vor einem fremden Haus und macht den Eindruck, von einer Reise zu kommen.[1] So wie beinahe alle Figuren in Walsers Werken unterwegs sind und die Tage und Wochen, in denen sie seßhaft werden, nur als eine Unterbrechung ihres eigentlichen Lebens, des Wanderns, erscheinen, so gehört auch Joseph zu den Unseßhaften. Das Wandern scheint für diese Menschen ein Selbstzweck zu sein, und man hat es oft – vor allem in Walsers erstem Roman ‚Geschwister Tanner‘[2] – mit der Unruhe, der Bindungslosigkeit und der ewigen Wanderschaft romantischer Helden verglichen: Simon Tanner als Taugenichts des 20. Jahrhunderts. Wie wenig dieses verharmlosende Klischee Walsers Romanen gerecht wird, ist in der letzten Zeit immer wieder betont worden, und bei einer genauen Lektüre ist es beinahe unverständlich, wie dieses Vorurteil entstehen konnte.[3] Vielleicht war die Entwicklung der modernen Kunst mit ihren Montagetechniken und Sprachspielen nötig, um den Blick für die Besonderheiten der Walserschen Prosa zu schärfen, die bei aller engen Bindung an ihre Zeit, bei aller Nähe zur Neuromantik eines Hermann Hesse und anderer doch durch ihre Gegenstände, vor allem aber durch ihre Sprache weit ins 20. Jahrhundert vorweist.

---

[1] Walser, R.: Der Gehülfe. Dichtungen in Prosa, hrsg. v. Carl Seelig, Bd. 3. Holle Verlag, Genf/Darmstadt 1955 (Zahlen im Text ohne Zusatz beziehen sich auf diesen Roman).

[2] Walser, R.: Geschwister Tanner. Das Gesamtwerk, hrsg. v. Jochen Greven, Bd. 4. Verlag Helmut Kossodo, Genf/Hamburg 1967, S. 7–332 (im folgenden zitiert: G. T. mit Seitenzahl).

[3] Einen konsequenten Vorstoß gegen die Verharmlosung Walsers unternimmt Hans G. Helms in der Einleitung zu seinem Auswahlband. (Basta. Prosastücke aus dem Stehkragenproletariat. Kiepenheuer & Witsch, Köln/Berlin 1970. Kiepenheuer & Witsch pocket 12.)
Er sieht Walser als einen Vorkämpfer der proletarischen Revolution: „Diese dem Proletariat angemessene und für seine Emanzipation unabdingbare Haltung hat Robert Walser exemplarisch vorgelebt. In seinem Werk hat sie ihre endgültige künstlerische Fixierung gefunden.“ (S. 31)
Bei vielen richtigen Einsichten und notwendigen Korrekturen am Walser-Bild schießt seine Auslegung doch wohl über das Ziel hinaus und baut auf einzelnen Stellen eine Interpretation auf, die das ganze Werk nicht trägt.

Der Büro-Gehilfe Joseph wird dem Leser – anders als Simon Tanner – allerdings nicht auf der Wanderung vorgeführt, sondern in einer seßhaften Phase seines Lebens, während er einen Sommer und einen Winter lang als Angestellter des Ingenieurs und Erfinders Karl Tobler in dessen Büro arbeitet. Dieser geschlossene äußere Rahmen der Handlung[4] ist eine Ursache dafür, daß der Roman noch am wenigsten Walsers eigenwillige Art verrät, und wohl besonders gut geeignet ist, dem unerfahrenen Leser einen Zugang zum Werk dieses noch immer ungelesenen und oft mißverstandenen Autors zu verschaffen.

Auch die Handlung bleibt recht konventionell und erinnert an andere Romane der Zeit[5]: Joseph erlebt in dem halben Jahr den geschäftlichen Zusammenbruch eines Unternehmers und den Untergang einer bürgerlichen Familie. Diese Handlung liefert aber nur den Anlaß für eine eigenwillige und die Probleme der Gesellschaft und der Arbeitswelt in einer ungewöhnlichen Sprache erfassende Darstellung. Ein Arbeitsverhältnis von oft grotesker Komik, das dem Erzähler Anlaß zu beißender Ironie liefert, wird zum Spiegelbild einer Zeit und einer Gesellschaft, die für Walser eine unaufrichtige, glänzende Fassade aufgebaut hat, hinter der eine brüchige und schäbige Realität verborgen liegt. Den Scheincharakter dieser Welt hat Joseph Marti aufgedeckt, und an ihm leidet er.

Der Beginn des Romans schildert eine Welt bürgerlicher Solidität, „der Chef des Hauses, der Herr Ingenieur Tobler“ (6) tritt selbstsicher und herrisch auf und fährt seinen neuen Angestellten barsch an, weil er einen Tag zu früh erschienen ist. Er beruhigt sich zwar bald, den Ton von bestimmter Sicherheit behält er aber bei, als er Joseph erst einmal an den Frühstückstisch bittet:

„Setzen Sie sich! Irgendwo, das ist ganz egal. Und essen Sie, bis Sie satt sind. Hier ist Brot. Schneiden Sie soviel ab, wie Sie wollen. Genieren Sie sich nur nicht! Schenken Sie nur mehrere Tassen ein, Kaffee ist genug da. Und da ist Butter. Die Butter ist zum Zugreifen da, wie Sie sehen. Und da haben Sie auch Konfitüre, falls Sie ein Liebhaber davon sind. Wollen Sie Bratkartoffeln dazu essen?“ (7)

Tobler spricht in kurzen, befehlsgewohnten Sätzen. Das Frühstück ist üppig und kräftig, wie es in einem soliden Bürgerhaus zu erwarten ist. Tobler, der Herr der Villa ‚Zum Abendstern‘, führt dem neuen Angestellten gleich in den ersten Minuten den Lebensstil eines selbständigen Geschäftsmannes eindringlich vor. Das Motiv des Essens wird während des ganzen Romans eine zentrale Stellung behalten. Noch als Tobler unmittelbar vor dem Zusammenbruch steht, sind die Tische reich gedeckt und Wein – natürlich vom besten – geht nie aus.

Nach der Mahlzeit beginnt sofort die Arbeit, und wieder zeigt sich Tobler als der sichere und klar denkende Arbeitgeber, der seinen neuen Angestellten in ein florierendes Unternehmen einweist:

„Er müsse, sagte Tobler in rauhem Ton, einen Kopf als Angestellten haben. Eine Maschine

---

[4] Nagi Naguib hat in seiner lesenswerten Arbeit (Robert Walser. Entwurf einer Bewußtseinsstruktur. Wilhelm Fink Verlag, München 1970) die klaren Zeitbezüge herauspräpariert: „Somit erstreckt sich die Handlung genau über 5 Monate und 8½ Tage, von welchen auf 313 Seiten erzählt wird.“ (S. 36)

[5] Der Roman ist 1908 bei Cassirer in Berlin erschienen.

könne ihm nicht dienen. Wenn Joseph planlos und geistlos in den Tag hineinarbeiten wolle, so solle er so gut sein und es gleich auf der Stelle sagen, damit man von Anfang an wisse, woran man mit ihm sei. Er, Tobler, benötige eine Intelligenz, eine selbständig arbeitende Kraft." (7 f.)

Tobler fordert Intelligenz, Selbständigkeit, einen „Kopf" von seinem Angestellten, und dem leuchtet sofort ein, daß ein solcher „Herr" natürlich Ansprüche stellen darf, und er nimmt sich vor, seine ganze Arbeitskraft aufzubieten und in den Dienst dieses Unternehmens zu stellen.

Nachdem Tobler also „gleich von Anfang an klaren Wein" eingeschenkt hat (8), führt er Joseph der „Herrin des Hauses" vor, und das Schauspiel von Überlegenheit und Sicherheit wird noch einmal aufgeführt: „Sie streckte ihm nachlässig, ja sogar träge die Hand dar [...]" (9)

Nachdem Joseph dann sein schönes und sauberes Zimmer im kupfernen Turm des herrschaftlichen Hauses bezogen hat, wird er „in die Geheimnisse der Toblerschen geschäftlichen Unternehmungen kurz eingeweiht" (10). Dabei beginnt er langsam an seinen Fähigkeiten zu zweifeln. Er wird unsicher, ob er den Ansprüchen der Arbeit und den verantwortungsvollen Aufgaben gewachsen sein wird. Er versteht nur die Hälfte von Toblers Erklärungen und macht sich Vorwürfe, da er den Fehler nur bei sich vermuten kann: „Will ich Herrn Tobler hintergehen? Er verlangt einen 'Kopf' und ich, ich bin heute absolut kopflos." (10) Die Sicherheit Toblers und seiner Frau, die Solidität des Hauses und des Geschäftes haben ihm Eindruck gemacht, und er fürchtet, seine Pflichten nicht erfüllen zu können.

Nach Toblers kurzen Erklärungen geht es allerdings gleich wieder zum Essen, das Joseph ausgezeichnet schmeckt und seine Selbstvorwürfe darum nur noch vergrößert. Tobler übernimmt wieder seine Herrenrolle: „‚Essen Sie, essen Sie', trieb Tobler an, ‚in meinem Hause wird tapfer gegessen, haben Sie das verstanden? Nachher wird aber auch gearbeitet'." (10)

Nach der üppigen Mahlzeit, bei der sich Joseph, der arbeitslos gewesen ist, recht schäbig und heruntergekommen vorkommt, ruft Tobler in seiner Herrenmanier: „So. Jetzt an die Arbeit."

Auf den nächsten Seiten baut Tobler dann weiter das Bild eines soliden Unternehmens auf, fordert Ordnung, Genauigkeit, Aufmerksamkeit, spricht von Gewinnberechnung, diktiert Zahlenkolonnen. Joseph zweifelt keinen Augenblick an der Rechtschaffenheit des Unternehmens, er zweifelt allein „an der Rechtschaffenheit seines Kopfes" (12).

Während Joseph immer mehr Respekt vor seinem neuen Chef gewinnt, hat der Leser schon längst eine Reihe von Hinweisen darauf bemerkt, daß es hier wohl doch nicht so ganz mit rechten Dingen zugehe. Nicht nur, daß Herr Tobler gar zu sicher und befehlshaberisch auftritt, bei jeder passenden Gelegenheit von Arbeit spricht, ohne daß der Rede auch die Tat folgte, und seine Energie auf Nebensächlichkeiten lenkt, sondern auch der Erzähler hat einiges dazu beigetragen, den ersten Eindruck des Lesers unsicher zu machen. Der Erzähler übernimmt gleich zu Anfang eine eigene Rolle und trennt seinen Standpunkt von dem Joseph Martis.[6] Er läßt dem Leser Dinge, die für Joseph sicher

[6] Naguib spricht von einem Erzähler, „der aber im Grunde mit seiner Hauptfigur identisch ist" (S. 39) und übersieht damit ein wesentliches Spannungsmoment des Aufbaus.

sind, fragwürdig erscheinen: Joseph steht vor einem „anscheinend schmucken" Haus und kommt „scheinbar" von einer Reise und die Tür wird „allem Anschein nach" von einer Magd geöffnet. (5)

Der Erzähler trennt seine Perspektive deutlich von der des Gehülfen. Durch diese Selbständigkeit kann er trotz seiner engen Verwandtschaft mit der Hauptperson den Leser mehr wissen lassen, als Joseph weiß, und aus dieser Diskrepanz, aus dieser leisen Verschiebung entsteht ein großer Teil der Ironie des Romans. Es ist zunächst der ständig betonte Scheincharakter von Josephs Eindrücken („Das Haus lag so schön in dem hellen Sonnenschein. Es schien Joseph ein wahres Sonntagshaus zu sein." [32]), der dem Leser eine gewisse Überlegenheit über Joseph und damit die Möglichkeit gibt, die Kluft zwischen dessen Urteilen, Verhalten und den Forderungen der Wirklichkeit zu erkennen. Während Joseph noch fürchtet, den schwierigen Aufgaben des Geschäfts nicht gewachsen zu sein, weiß der Leser schon längst, daß Tobler blufft, nur große Worte gebraucht, um die Lächerlichkeit seiner Erfindungen zu verdecken. Bis in die Syntax hinein wirkt seine Unsicherheit, die er hinter seinem Befehlston verbirgt:

„Es handelt sich nun in erster Linie – was tun Sie da? Mein junger Mann, die Asche gehört in den Aschenbecher. Ich habe gern Ordnung zwischen meinen eigenen vier Wänden – also in erster Linie handelt es sich, nehmen Sie einen Bleistift zur Hand, nun, sagen wir, um die Zusammenstellung, um die genaue Gewinnberechnung dieses Unternehmens." (12)

Eine Gewinnberechnung des Unternehmens hat es nie gegeben und wird es nicht geben, weil das Unternehmen ein Verlustgeschäft ist. Das weiß niemand besser als Tobler, der darüber ins Stottern gerät.

Ein weiteres Mittel, dem Leser die Augen zu öffnen und ihm die Sinnlosigkeit von Toblers Unternehmen vorzuführen, ist die ironische Zusammenstellung von disparaten Ereignissen, die sich durch den ganzen Roman zieht: an einem Tag kommen Rechnungen ins Haus, die nicht bezahlt werden können, und der Nationalfeiertag wird mit einem kostspieligen, rauschenden Fest gefeiert (63 ff.); der Weltmann Tobler macht Geschäfte großen Stils und vertritt eine bodenständige Eigenheimideologie (73 f.); das Vertrauen der Bärenswiler in Toblers Geschäfte schwindet von Tag zu Tag, aber der Herr Ingenieur lädt sie zur Einweihung einer neuen Gartengrotte ein (181 ff.); und er hält dabei vor den „stillen, schlauen Bärenswiler Herren" eine Rede in zukunftsgewissen Tönen, die mit kräftigen pathetischen Worten vom „kühnen und unerschrockenen Mann", „gesunden und starken Arm", „duftenden und rauschenden Erfolg" nur so gespickt ist (185).

Josephs Beschreibung von Toblers lächerlicher Erfindung mit dem Namen „Schützenautomat" („ein Ding, ähnlich den Schokoladenautomaten" [75]), die dem Leser auf zwei Seiten klarmacht, daß an der „Erfindung" nicht ein Gedanke neu und an einen Verkauf überhaupt nicht zu denken ist, endet mit der Feststellung „[...] so verdient da Tobler [...] wieder einen schönen Haufen Geld [...]" (76 f.). Ähnlich steht es mit einer weiteren „Erfindung" Toblers, dem „Dampfbehälter", „womit man einen ganz hübschen Gewinn zu erzielen hoffte" (159). Solche und ähnliche Diskrepanzen machen dem Leser auf Schritt und Tritt deutlich, wie es mit Toblers Geschäften steht, und lassen durch ihre Ironie keinen Zweifel an der Kluft zwischen Schein und Wirklichkeit.

Der Gehülfe dagegen macht den Eindruck, an die Geschäfte des Herrn Karl Tobler zu glauben. Aber auch dieser Eindruck trügt: Joseph beginnt früh an der Einheit von Erscheinung und Wirklichkeit im Hause Tobler zu zweifeln. Schon als er unmittelbar nach seiner Ankunft Frau Tobler vorgestellt wird, heißt es: „Diese Frau benahm sich in seinen Augen entschieden zu hochmütig.“ (9) Beim Nachmittagskaffee fällt ihm auf, daß sie „die Seufzer länger als gerade nötig war“ im Mund behielt (13), und er meint dann: „Wie diese Frau Nachdenklichkeit mimt! Sie seufzt, wie andere lachen, genauso fröhlich.“ (14) Schon am ersten Tag stößt er auf solche Unstimmigkeiten im Haus Tobler, und seine Einsichten vermehren sich schnell.

Zunächst ist es nur ein vages Gefühl. Er zieht sich in sein Turmzimmer zurück: „Hier fühlte er sich befreit, von was, das wußte er eigentlich gar nicht einmal. Aber es genügte dieses Gefühl zu haben; die wahre Ursache sei, dachte er, ja sicherlich irgendwie und irgendwo versteckt da, aber was bekümmerten ihn jetzt Ursachen.“ (42) Noch hat er nur ungewisse Ahnungen, und die schiebt er von sich fort. Wenig später kommt sein Zweifel in einer Büroszene unmißverständlich zum Ausdruck. Als der Handwerker die Rechnung für die neue Kupferverzierung des Turmdaches schickt, meint Tobler: „Der kann warten.“ Darauf Joseph: „Natürlich“. Während sich Tobler über die Zeichnung einer neuen Erfindung, der „Tiefbohrmaschine“, beugt, sagt er:

„‚Wenn die ‚Reklame-Uhr‘ nicht geht, dann geht wenigstens die Bohrmaschine‘ [...] und von dem Korrespondenztisch her klang zur Antwort wieder ein:
‚Natürlich!‘
‚Im schlimmsten Fall habe ich ja noch den ‚Schützenautomaten‘, der reißt alles heraus‘, redete der Skizziertisch, worauf die Abteilung für kaufmännisches Wesen anwortete:
‚Selbstverständlich!‘
Glaube ich eigentlich an das, was ich da sage? dachte Joseph.
‚Nicht zu vergessen der patentierte Krankenstuhl‘, rief Tobler.
‚Aha!‘ machte der Gehülfe.“ (65)

Tobler stopft ein Loch mit dem anderen und ersetzt eine Fehlplanung durch die nächste. Josephs stereotype Antwort ist eigentlich schon beredt genug, um die ganze Lächerlichkeit der Szene zu zeigen. Aber hier macht sich der Gehülfe zum ersten Mal seine Zweifel an dem Unternehmen bewußt, und von da an wird die Unsicherheit ihn nicht mehr verlassen. Denn er kann an dem Schwindel von Toblers Geschäften nicht mehr vorbeisehen, „[...] wo die ganze finanzielle Lage, Joseph müsse das ja wissen, sich immer mehr zuspitze“, wie Frau Tobler meint. (67)

Joseph kann ja nicht übersehen, daß er kein Gehalt ausgezahlt bekommt, daß keine einzige Rechnung bezahlt wird, daß keine Erfindung verkauft wird, daß Tobler Bekannte und Verwandte „anpumpt“, weil er keinen einzigen Kapitalgeber mehr findet usw. usw. Joseph kennt die geschäftliche Misere aus erster Hand, denn er sitzt in Toblers Büro; und den Widerspruch zwischen Auftreten und Anspruch Toblers einerseits und der tatsächlichen Lage andererseits machen ihm die biederen Bärenswiler, die um ihr an Tobler verliehenes Geld fürchten, lautstark klar.

Aber selbst in der völlig hoffnungslosen Situation, in der Tobler zum letzten Mittel greift und seine Frau auf eine Bettelfahrt zu seiner Mutter schickt, selbst in dieser Lage, die nur noch durch ein Wunder zu retten wäre, glaubt Joseph noch an Toblers Geschäft, wehrt er sich geradezu verzweifelt gegen den Gedanken des Zusammenbruchs. Bis zuletzt kämpft Joseph seine Zweifel nieder und klammert sich an den kleinsten Hoffnungsschimmer.

Zunächst versucht er, es ganz „natürlich", ganz „selbstverständlich" zu finden, daß beinahe jeden Tag ein Wechsel nicht eingelöst, eine Rechnung nicht bezahlt werden kann. Das Abwimmeln von Gläubigern gehöre, redet er sich ein, zu den Pflichten jedes Angestellten:

„In diesen Dingen hatte man nun hoffentlich bald ein wenig Routine. [...] Leute, die Geld von Herrn Tobler haben wollten, mußten in Zukunft noch ganz anders, noch viel kräftiger, abgefertigt werden. Das war Pflicht, das gebot das Zartgefühl Herrn Tobler gegenüber. Der Chef durfte jetzt unter keinen Umständen an diese widerwärtigen Bagatellen erinnert werden. Der hatte gerade jetzt ganz anderes zu tun, den konnten jetzt nur die großen Sorgen beschäftigen." (77 f.)

Joseph hält den Geldmangel für zufällig, für vorübergehend und vermutet Tobler bei den wirklich großen Geschäften. Er sieht nicht, er will nicht sehen, daß Toblers ganzes Unternehmen aus eben den Bagatellen seines eigenen Arbeitstages besteht.

Bald muß er zu massiveren Mitteln greifen, um seine Einsichten zu verdrängen. Er redet sich ein:

„Geld konnte über Nacht in das technische Bureau hinabregnen, inseriert war worden, man brauchte vorläufig nur Geduld zu haben, die Erfolge mußten sich ja einstellen. Welcher reiche und unternehmende Mann konnte einer Annonce widerstehen, die mit den Worten begann: ‚Glänzendes Unternehmen'?" (110)

Die Ironie solcher und ähnlicher Stellen liegt darin, daß der Leser Joseph bei seinen Selbsttäuschungen beobachten kann. Sein Gedankengang bemüht sich um äußere Logik, um den Mangel an inhaltlicher Folgerichtigkeit zu vertuschen: aus dem Faktum des Inserats folgt als zweite Tatsache der Geldregen. Aufschlußreich sind auch die unpersönlichen Konstruktionen: nicht Tobler wird Geld bekommen, hat inseriert, wird Erfolg haben, sondern die Dinge haben sich verselbständigt, und irgendwelche anonymen Mächte werden das Schicksal wenden: „die Erfolge mußten sich ja einstellen."

Solche und ähnliche Schlußfolgerungen hat Joseph in großer Zahl anzubieten.

„Wer noch Lust hat, mit Frau und Kindern rauschende Sänger- und Turnerfestlichkeiten mitzumachen, der wird wohl noch im Geheimen irgendeine Kreditquelle liegen und fließen haben [...]" (110) – „Andere Leute spielten auch Karten und tranken ihr Glas Wein und prosperierten trotzdem, warum Tobler nicht? Es war nicht einzusehen." (111) [7]

Es ist für Joseph offenbar nicht einzusehen, weil er es nicht einsehen will. Er sträubt sich gegen eine Desillusionierung und versucht, Frau Tobler, als selbst sie nicht mehr an der Ausweglosigkeit der Lage zweifelt, in voller Überzeugung zu beruhigen: „Es kann noch alles gut kommen, Frau Tobler." (264) Diese Haltung Josephs, die sich zunächst kaum erklären läßt, ist ein zentrales Motiv des Romans. Die Erwartung des Lesers, der von Anfang an die Diskrepanz zwischen Schein und Wirklichkeit im Hause Tobler sieht,

---

[7] Vgl. auch S. 108.

bleibt ständig darauf gerichtet, wann Joseph die Beschönigungen und Selbsttäuschungen aufgibt, Konsequenzen aus seinen Zweifeln zieht und die Lüge durchschaut. Aber bis zur letzten Seite des Romans macht Joseph nie deutlich, daß er die Aussichtslosigkeit und völlige Sinnlosigkeit von Toblers Geschäften erkannt hätte. Er kennt Toblers Schuldenberg, seine verzweifelten und erfolglosen Versuche, Geld aufzutreiben und den völligen Mißerfolg all der vielen Erfindungen des Ingenieurs. Aber er versucht bis ans Ende krampfhaft, das alles für Erscheinungen an der Oberfläche und für zeitweilige Schwierigkeiten zu halten. Er drückt sich vor der Einsicht, daß sein erster Eindruck nur eine Fassade erfaßt hat, daß Glanz und Schönheit nur die eine, die äußere Seite einer Wirklichkeit sind, deren andere Seite aus einem leeren und lächerlich krampfhaften Geschäftsbetrieb, aus Sinnlosigkeit besteht. Die Verlustgeschäfte erklärt er zu Bagatellen, um die Fiktion aufrecht erhalten zu können, es gäbe noch andere, große Geschäfte, die den Anspruch Toblers und das großartige äußere Erscheinungsbild des Hauses rechtfertigen. Er will bis zuletzt an die Möglichkeit glauben, daß Schein und Wirklichkeit auf irgendeine Weise übereinstimmen könnten.

Dieses seltsame Verhalten Josephs läßt sich nur im Zusammenhang der anderen Romane Walsers deuten. Die drei Figuren Simon Tanner, Joseph Marti und Jakob von Gunten sind nicht nur durch eine enge Beziehung zu ihrem Autor untereinander verwandt; sie kämpfen auch alle mit denselben Problemen und haben alle ein vergleichbares Verhältnis zu ihrer Gesellschaft und ihrer Umwelt.

Simon Tanner, Walsers erste Romanfigur, beginnt seine Laufbahn mit einer anscheinend ungebrochenen Begeisterung. Er tritt vor den Leser und seinen zukünftigen Prinzipal mit einem geradezu hymnischen Monolog:

„‚Ich will Buchhändler werden‘, sagte der jugendliche Anfänger, ‚ich habe Sehnsucht darnach und ich weiß nicht, was mich davon abhalten könnte, mein Vorhaben ins Werk zu setzen. Unter dem Buchhandel stellte ich mir von jeher etwas Entzückendes vor und ich verstehe nicht, warum ich immer noch außerhalb dieses Lieblichen und Schönen schmachten muß. [...] ich werde also meine Kenntnis der Menschen nie in den Dienst der Übervorteilung stellen, aber auch ebensowenig daran denken, durch allzu übertriebene Rücksichtnahme auf gewisse arme Teufel Ihr wertes Geschäft zu schädigen. Mit einem Wort: meine Liebe zu den Menschen wird angenehm balancieren auf der Waage des Verkaufens mit der Geschäftsvernunft, die ebenso gewichtig ist und mir ebenso notwendig erscheint für das Leben wie eine Seele voll Liebe: Ich werde schönes Maß halten, dessen seien Sie zum Voraus versichert.“ (G. T. 7 f.)

Nicht nur eine jünglingshafte Begeisterung spricht aus dieser Rede, sondern vor allem die Überzeugung von einer möglichen „Balance“. Das Verkaufen, die Geschäftsinteressen erscheinen in einer strahlenden Einheit mit der persönlichen Begeisterung über die Schönheit, über das „Entzückende und Liebliche“ des Berufes. Es ist nicht so, daß Simon die Notwendigkeiten und Härten des Geschäftes nicht bemerkte oder verharmloste. Sie sind ihm durchaus bewußt; aber diese „rauhe Wirklichkeit“ steht nicht im Gegensatz zur „Lieblichkeit“ des Berufes. In dem Leben, wie er es sieht, bilden die „Geschäftsvernunft“ und die „Seele voll Liebe“ eine harmonische Einheit. Die Entfremdung des Menschen von seinem Leben scheint für Simon nicht zu bestehen, und natürlich ruft er mit dieser naiven Begeisterung großes Erstaunen bei seinem Gesprächspartner hervor.

Es scheint für ihn nur den Menschen in einer reinen und ungebrochenen Erscheinungsweise zu geben, der durch den Zwang der modernen Gesellschaft noch nicht deformiert ist. Für Simon ist die Arbeitskraft noch nicht zur Handelsware geworden, und er will als ganzer Mensch aus sich heraus und in Übereinstimmung mit seiner Welt leben. Simons weiteres Verhalten scheint das zu bestätigen: er tut nur das, was ihm auch Spaß macht, wechselt seine Arbeitsplätze von heut auf morgen, wenn ihm der Spaß vergangen ist, lebt völlig ohne alle belastende Bindungen, wandert durch die Gegend und bleibt, wo es ihm gefällt und solange es ihm gefällt.

„Ich bin noch überall, wo ich gewesen bin, [...] bald weitergegangen, weil es mir nicht behagt hat, meine jungen Kräfte versauern zu lassen in der Enge und Dumpfheit von Schreibstuben [...] Gejagt hat man mich bis jetzt noch nirgends, ich bin immer aus freier Lust am Austreten ausgetreten [...]" (G. T. 9)

Leben und Arbeit scheinen ihm eine einzige Herrlichkeit und Ungebundenheit zu bedeuten. „Der Mond schien oft, wenn er arbeitete, zum Fenster hinein, das entzückte ihn sehr." (G.T. 21) Bis in solche romantisierenden Trivialitäten reicht die Daseinsfreude, und hier scheint Walser tatsächlich einen neuen Taugenichts seine Urständ feiern zu lassen.

Martin Walser schreibt über Robert Walser:

„Er zieht aus mit einem Andachtsvermögen, das bereit ist, vor nichts haltzumachen. Möglich, daß er anfangs geglaubt hat, das Paradies sei nur durch den Mißgriff eines ehrgeizigen Tapezierers entschwunden und er könne es wieder herstellen, indem er Menschen und Wände mit ein wenig Begeisterung betaste."

Walser in einem Begeisterungsrausch, der das Paradies auf Erden wiederfindet und die große Misere lächelnd beiseiteschiebt: doch das bleibt ein erster naiver Eindruck des Mißverstehens. Die zitierte Stelle fährt fort:

„Möglich also, daß er tatsächlich arglos war. Aber nicht lange. Daß alles aus einerlei Stoff ist und daß das Elende Konsequenzen hat, muß er bald gespürt haben. [...] Die schöne Oberfläche ist wirklich beim Teufel." [8]

Was hier über Walser gesagt ist, gilt für Simon Tanner ebenso. Er beginnt seinen Weg in dem naiven Glücksrausch einer totalen Einheit von Bedürfnis und Erfüllung, von Arbeit und Leben und Natur. Aber wenn er vor den Leser tritt, ist diese Einheit schon zerbrochen, ist die Selbstverständlichkeit längst dahin. Sie hat sich nur noch als Wunschvorstellung in seine Gegenwart gerettet, aber als solche bestimmt sie sein Leben. In der Arbeit als Buchhändler hofft er, sie verwirklichen zu können. Hier liegt der Grund, warum die Welt der Arbeit eine so zentrale und so leicht mißdeutbare Stellung in den Romanen einnimmt. Auf den ersten Blick scheint Simon das Beste aus seiner Situation zu machen und mit Lächeln und größter Leichtigkeit mit seinem Schicksal zu spielen. Erst bei näherem Zusehen zeigt sich sein geradezu verkrampftes Kämpfen, die Anspannung und der Trotz, mit dem er der verlorenen Einheit und dem zerbrochenen Glück nachjagt.

---

[8] Walser, M.: Alleinstehender Dichter. In: Text + Kritik 12 (1966), S. 2.

Auf seiner Wanderung macht Simon eine längere Station bei seiner Schwester Hedwig, die als Lehrerin auf dem Lande lebt. Was zunächst wie eine pastorale Idylle beginnt („Am warmen Mittag lag er im hellgelben Gras unter dem herrlich sanften Himmel, am Flußufer hingestreckt und durfte nicht nur, sondern mußte sogar träumen." [G. T. 139]), endet in Gesprächen über den durch Arbeit seinem Leben entfremdeten Menschen. Der Schwester ist es zunächst so ergangen wie Simon, es war etwas „Wundervolles, so Verheißungsvolles", das sie Lehrerin werden ließ. (G. T. 164) Sie hat von ihrem Beruf erwartet, Pflicht und Neigung, Arbeit und persönliche Erfüllung verbinden zu können, und so hat sie das Leben „ernst" und „heilig" verstanden. „Ich glaubte, es wäre ein schönes Leben, Kinder in die Welt hineinzuführen, sie zu unterrichten, ihnen die Seelen für die Tugenden zu öffnen [...]" (G. T. 166) Aber es hat nicht lange gedauert, bis ihre Hoffnungen zerstört waren und ihr Beruf, der ihr „eine tägliche Erholung sein sollte", nur noch „eine Last" war. (G. T. 166) Mittlerweile fühlt sie sich „wie durch eine leichte, aber undurchsichtbare Scheidewand vom Leben getrennt" (G. T. 164) Sie hat keine Freude mehr an ihrer Arbeit und ist entschlossen, sie aufzugeben.

Die Ursache ihrer Enttäuschung und Ernüchterung sieht sie zunächst darin, daß sie eine schwache Frau ist; denn: „Ein Beruf ist eine Last durchs Leben für einen Mann mit starken Schultern und vorwärtsstrebendem Willen, ein Mädchen wie mich erdrückt er." (G. T. 165) Aber bald werden ihr die tieferen, von ihrer Person unabhängigen Ursachen klar: sie hat in ihrem Beruf nicht eine „Lebensaufgabe" gefunden, sondern ihr Leben gegen einen Beruf eingetauscht:

„Ich freute mich über den Gedanken, mich dieser jungen, schüchternen und hilflosen Menschenschar gewidmet zu haben. Aber kann ein solcher einziger Gedanke über ein Leben hinwegtäuschen, kann man ein ganzes Leben mit einer Idee wegdenken? Wehe, wenn diese Idee und dieses Opfer eines Tages gleichgültig werden, wenn man den Gedanken, der einem alles ersetzen soll, nicht mehr mit so inniger Leidenschaft zu denken vermag, als es nötig ist, um den Tausch in der Seele zu rechtfertigen. Wehe, wenn man überhaupt einen Tausch merkt." (G. T. 166)

Es sind nicht die kleinen alltäglichen Enttäuschungen, nicht die aufreibenden Alltagspflichten, die zu ihrer Hoffnungslosigkeit geführt haben. Sie hat vielmehr Erfahrungen gemacht, die an den Grund ihrer Existenz reichen. Die vergebliche Bemühung, die Arbeit mit dem Leben auszusöhnen und einen Sinn in ihr zu finden, sind für sie zu einer persönlichen Erfahrung geworden, unter der sie leidet. Weil sie ihr Leben mit einer so großartigen Erwartung begonnen hat, ist die Ernüchterung umso schmerzhafter und die Möglichkeit, sich selber zu täuschen und ein Glück zu heucheln, umso unerreichbarer: „Ich habe es noch nicht gelernt, eine Zufriedenheit, eine Genugtuung, ein Wohlbefinden zu lügen, das ich nicht empfinde, und ich glaube, man irrt sich, wenn man annimmt, daß ich das je lernen werde." (G. T. 167)

Simon hört sich den langen Monolog seiner Schwester schweigend an. Aber der Leser weiß von Anfang an, daß hier auch seine Lage beschrieben wird, daß Hedwig recht hat mit der Feststellung, er lebe dieses ganze, von ihr beschriebene Leben auf die gleiche Weise. (G. T. 165) Sie haben beide die große Enttäuschung erfahren, als ihre Erwartungen mit der realen Arbeitswelt konfrontiert wurden, und sie sind beide nicht bereit, ihre Erfahrungen zu verdrängen.

Simon schildert ausführlich die Arbeit in einem Bankhaus, und aus jedem Satz spricht die Sinnlosigkeit der Arbeit, der Widerspruch zwischen Leben und Beruf.

„Es kommt vor, daß einer einen Schlaganfall bekommt während des Schreibens. Was hat er dann davon gehabt, daß er fünfzig Jahre lang im Geschäft ‚arbeitete'? Er ist fünfzig Jahre lang jeden Tag zu derselben Tür ein- und ausgegangen, er hat tausend und tausendmal in seinen Geschäftsbriefen dieselbe Redewendung geübt, hat etliche Anzüge gewechselt und sich öfters darüber gewundert, wie wenig Stiefel er des Jahres verbrauche. Und jetzt? Könnte man sagen, daß er gelebt hat? Und leben nicht tausende von Menschen so?" (G. T. 37)

Bei solchen Stellen könnte man geneigt sein, Simon für einen bewußten Klassenkämpfer und Walser für einen revolutionären Schriftsteller zu halten, und diese Deutung hat er erfahren. Aber bei aller Schärfe und Prägnanz solcher Schilderungen bleibt Simon ein Einzelgänger auf der Suche nach seinem persönlichen Glück. Walser hat Simon seine eigene äußerst sensible und reizbare Natur verliehen, und sie macht den Zusammenprall mit der Gesellschaft besonders heftig; aber er führt eigentlich nicht zur Reflexion der Ereignisse und wird nicht zum Anlaß einer Selbst- und Gesellschaftsanalyse. Simon erlebt die Widersprüche in seiner Gesellschaft durch sein eigenes Schicksal, und er leidet unter der Vergegenständlichung der Arbeit und der Sinnlosigkeit des Lebens. Aber das wird zu seinem persönlichen Problem. Er stellt nicht die Forderung, die Gesellschaft zu verändern, damit der einzelne zu seinem Recht komme, sondern er macht sich auf die lange Suche nach einem individuellen Weg zur Überwindung der Gegensätze. Seine Unstetigkeit, der ständige Stellenwechsel sind der Ausdruck dieser Suche. Denn der Enthusiasmus, mit dem er in Stellen eintritt, die Begeisterung, mit der er eine Arbeit als Erfüllung persönlicher Wünsche übernimmt, enden nur zu bald in Enttäuschung und der bitteren Einsicht in die Diskrepanz zwischen Erwartung und Realität, Wunschvorstellung und Notwendigkeit der Arbeit.

Er durchschaut seine soziale Situation, und als Bankangestellter äußert er in einer heftigen Auseinandersetzung mit dem Direktor seine Einsichten über das Leben als Untergebener. Er fühlt sich nicht als Mensch, sondern als Mittel für das reibungslose Funktionieren des Betriebes behandelt und begehrt auf: „Ich bin nicht dazu geschaffen, eine Schreib- und Denkmaschine zu sein." (G.T. 42) Er fühlt sich unterdrückt, und seine Hoffnung, im Beruf eine Selbstbestätigung zu finden, ist längst zerronnen. Diese Möglichkeiten hat nur der Direktor der Bank, für den Arbeit und persönliches Interesse übereinstimmen. Simon sieht, daß für ihn dieses Ziel unerreichbar ist, und er hat zwei Möglichkeiten: zu resignieren und sich wie die anderen Angestellten anzupassen oder aber die Arbeit zu verlassen und dadurch seine Freiheit wiederzugewinnen. Er entscheidet sich in seiner langen Ansprache an den Direktor für die Freiheit.

„Sie sind gewiß ein schätzenswerter, verdienstvoller, großer Mann, aber, sehen Sie, ich möchte auch so einer sein, und deshalb ist es gut, daß Sie mich fortschicken, deshalb war es eine segensreiche Tat, daß ich mich heute, wie man sich ausdrückt, unstatthaft benommen habe. In Ihren Bureaus, von denen man solches Aufhebens macht, in denen so gern jeder beschäftigt sein möchte, ist von einer Entwicklung eines jungen Mannes nicht zu reden. Ich pfeife darauf, den Vorzug zu genießen, der mit der Auszahlung eines festen, monatlichen Gehaltes verbunden ist. Ich verkomme, verdumme, verfeige, verknöchere dabei. [...] Hier kann nur einer ein Mann sein: Sie! –

Kommt Ihnen nie der Gedanke, es möchten sich unter Ihren armen Untergebenen Leute befinden, die den Drang haben, auch Männer zu sein, wirkende, schaffende, achtunggebietende Männer." (G. T. 42 f.)

Simon spricht hier dem Direktor gegenüber eine sehr deutliche Sprache: durch eine Anstellung mit einem festen Einkommen gewinnt er keine Sicherheit und durch das Gehalt keinen Gegenwert für seine Arbeit, sondern er fühlt sich unterdrückt und unfrei und nicht als Mensch behandelt.

Diese Erfahrung bestimmt Simons Lebensweg, sie ist die Ursache für seine ruhelose Wanderschaft. Nicht das vage Gefühl einer Sehnsucht oder eine innere Zerrissenheit treiben ihn von einem Ort zum andern und von einer Stellung in die nächste, sondern es ist die Enttäuschung über seine Welt, das Leiden an der sozialen Stellung des Untergebenen, der die Arbeit nicht in Einklang mit seinem Leben bringen kann. Die hochgespannte Erwartung, mit der er seine erste Stellung beim Buchhändler angetreten hat, wird immer und immer wieder enttäuscht. So wechselt er von einer Stellung in die andere.

Als seine Vorstellungen von einem harmonischen Leben in der Gesellschaft scheitern, beginnt er einen Kampf mit seiner Welt und fordert sie auf, ihm zu geben, was er für sein Recht ansieht: „Ich will keine Zukunft, ich will eine Gegenwart haben. Das erscheint mir wertvoller. Eine Zukunft hat man nur, wenn man keine Gegenwart hat [...]" (G. T. 44) Simon Tanner ist einer, der auszog, das Leben zu finden, ein Leben, das nicht aus dem Versprechen einer goldenen Zukunft besteht, sondern das hic et nunc die Widersprüche zwischen den Forderungen der gesellschaftlichen Realität und den Wünschen des Individuums überwindet.

Durch diesen bedingungslosen Wunsch verkehren sich die Vorstellungen einer bürgerlichen Welt in ihr Gegenteil: in einer festen Stellung mit regelmäßigem Einkommen zu arbeiten ist demütigend, dagegen ist Simon glücklich, wenn er arbeitslos ist, keine feste Wohnung hat oder aus Geldmangel seine Miete nicht bezahlen kann. Denn er ist seinem Freiheitsideal am nächsten, wenn er in völliger Bedürfnislosigkeit lebt. Er malt seine Zukunft einmal als ein Bürgeridyll aus: in einer Kleinstadt zu leben, eine Familie zu gründen und von der Freiheit nur noch zu träumen. (G. T. 124 ff.) Aber die Schilderung gerät zu einem trivialen Klischee, in dem die Ideale eines seßhaften bürgerlichen Lebens lächerlich gemacht werden; und Simon läßt keinen Zweifel an seiner Distanz, indem er die ganze Idylle durch den Konjunktiv in Frage stellt. Die Resignation wird zur negativen Folie, vor der seine rastlose Wanderung und sein stetiger Kampf erst recht plastisch werden. Er bleibt ein Gelegenheitsarbeiter auf der Suche nach dem Leben ohne die Unterdrückung einer inhumanen Arbeitswelt.

Aber je aussichtsloser seine Suche wird, desto mehr gerät Simon in die Gefahr, die Flucht in eine schöne Scheinwelt anzutreten. Es ist oft nicht zu unterscheiden, ob die Träume und Idyllen die Trivialität des bürgerlichen Lebens bloßstellen sollen, oder ob Simon sie zum Rückzug aus einer Welt benutzt, in der er nicht bestehen kann. Denn er spielt schon früh mit dem Gedanken, sich zurückzuziehen, die Arbeit als ein notwendiges Übel zu verstehen und in Träume und Naturidyllen zu flüchten:

„Schon am nächsten Tag arbeitete er in einer großen Maschinenfabrik, die zur Inventuraufnahme eine ganze Anzahl von jungen Leuten brauchte. Den Abend verbrachte er dann lesend an einem Fenster, oder er verlängerte seinen Heimweg von der Fabrik nach Klaras Hause, indem er einen weiten Bogen um den ganzen Berg herummachte, in dem dunklen Grün der vielen Waldschluchten, welche den Berg durchschnitten. An einer Quelle, bei der er stets vorbeikam, löschte er jedesmal seinen großen Durst und lag dann auf einer einsamen Waldwiese [...] (G. T. 102)

Phantasieren, Wandern, Träumen bieten Möglichkeiten des Rückzugs in ein Leben ohne die Last der Arbeit, die nur noch am Rande erwähnt wird. Aus solchen zunächst vorübergehenden Zwischenstationen auf dem harten Weg der Enttäuschungen droht langsam das eigentliche Leben zu werden, während die Arbeit nur noch als zeitweilige Bürde erscheint. Simon scheint zu resignieren, wenn er meint, ich „bin frei und kann jedesmal, wenn es die Notwendigkeit verlangt, meine Freiheit für eine Zeit lang verkaufen, um nachher wieder frei zu sein." (G. T. 256)

Er versucht, sein Problem zu vertuschen, indem er eine Feierabendfreizeit gegen die lästige Notwendigkeit der Arbeit ausspielt.

Es ist oft zu Recht betont worden, daß in Walsers Romanen kaum eine Entwicklung stattfindet; und doch läßt sich in ‚Geschwister Tanner' feststellen, daß die Arbeitswelt und die Auseinandersetzung mit ihr immer mehr in den Hintergrund tritt und die Person Simon Tanners und sein Verhältnis zu anderen Personen gegen Ende dominierend wird. Die Schilderung der „Schreibstube für Arbeitslose", die Gelegenheit bietet, das unterste soziale Milieu zu schildern mit einer Gruppe von outcasts, die wie „ein Rudel abgerichteter Hunde nach einer an einem Bindfaden immer wieder hochgezogenen Wurst" springen (G. T. 279), diese „kleine Welt [...] in der großen" läßt zum letzten Mal Simon als Arbeitenden und in seinem Kampf mit der Arbeitswelt erscheinen. Danach werden die Probleme persönlicher, spielt die Vergangenheit eine größere Rolle, und der Weg nach innen endet mit Simons langer Lebensgeschichte. Der Schluß des Romans wirkt wie ein Märchen, wenn „die Dame" ihn auffordert:

„Kommen Sie. Wir gehen hinaus in die Winternacht. In den brausenden Wald. Ich muß Ihnen so viel sagen. Wissen Sie, daß ich Ihre arme, glückliche Gefangene bin? Kein Wort mehr, kein Wort mehr. Kommen Sie nur." (G. T. 332)

Mit Schweigen und einem Aufbruch zu zweit in eine mythische Winterlandschaft endet Simons Kampf in einer Welt sozialer Spannungen.

Aber vor diesem in unbestimmte Fernen weisenden Ende macht er in seinem langen Monolog noch einmal deutlich, worum es ihm gegangen ist:

„Ich stehe noch immer vor der Tür des Lebens, klopfe und klopfe, allerdings mit wenig Ungestüm, und horche nur gespannt, ob jemand komme, der mir den Riegel zurückschieben möchte. So ein Riegel ist ziemlich schwer, und es kommt nicht gern jemand, wenn er die Empfindung hat, daß es ein Bettler ist, der draußen steht und anklopft. Ich bin nichts als ein Horchender und Wartender, als solcher allerdings vollendet, denn ich habe es gelernt zu träumen, während ich warte. Das geht Hand in Hand, und tut wohl, und man bleibt dabei anständig." (G. T. 329)

Hier faßt Simon seinen Lebensweg zusammen, und er betont ausdrücklich, daß er die Tür zu dem glücklicheren Leben *noch* nicht geöffnet hat. Er steht noch immer – wie zu Anfang seiner Wanderung – als Bettler draußen. Seine Frage vom Beginn des Romans, warum er „immer noch außerhalb dieses Lieblichen und Schönen schmachten muß", das er sich unter der Arbeit vorstellt, ist auch am Ende nicht gelöst.

Aber er hat auf seiner Wanderung etwas gelernt – und damit liefert er eine Erklärung für sein Verhalten nach: er weiß jetzt zu träumen. Das kann in diesem Zusammenhang nur bedeuten: von der Einheit, die er im Leben nicht erreicht hat, macht er sich wenigstens Bilder. So geht die Enttäuschung und Desillusionierung Hand in Hand mit dem Aufbau einer Traumwelt, in der er sein Glück zeitweise verwirklichen kann. Er gibt seinen Wunsch nicht auf und behält ihn als Leitbild vor Augen. Aber die Verwirklichung hat sich mehr und mehr in das Reich der Phantasie verflüchtigt.[9]

Simon hat sich sein einmal formuliertes Ideal von der Balance der „Geschäftsvernunft" mit der „Seele voll Liebe" stets vor Augen gehalten und auf seinem langen Weg ein ums andere Mal versucht, eine Möglichkeit seiner Verwirklichung zu finden. Aber dieser Versuch, sich über die sozialen und gesellschaftlichen Bindungen zu erheben und in völliger Selbständigkeit und Unabhängigkeit nach einer Gelegenheit zu suchen, sein Ideal zu erfüllen, war von Anfang an zum Scheitern verurteilt. Simon ist am Ende seiner Möglichkeiten, Joseph Marti wird die Suche wieder aufnehmen. Simon bleibt nur noch der Hinweis auf die Hoffnung, sein Ziel in einer fernen Zukunft zu erreichen. Der Leser erfährt nicht mehr, ob Simon aus seinen Erfahrungen gelernt hat und mit der neuen „Anspannung der Kräfte" (G. T. 332) auf einem anderen Weg zu seinem Ziel kommen will. Es liegt aber nahe, Simon Tanner, Joseph Marti und Jakob von Gunten als Metamorphosen einer Figur zu verstehen, die dem Autor Walser sehr nahesteht. Wenn man auch nur mit Zurückhaltung von einer kontinuierlichen Entwicklung der Romane sprechen kann, so lassen sich die hier skizzierten Probleme doch als grundlegend für alle drei Romane erfassen, und die Veränderungen der Lösungsversuche sind deutlich.

Erinnern wir uns an Joseph Marti, den Gehülfen. Er unterscheidet sich in einigen charakteristischen Zügen von Simon. Vor allem wechselt er seine Stelle nicht; er hat seine Wanderung beendet oder zumindest vorübergehend abgebrochen, und sein ruheloses Dasein spielt nur noch als Erinnerung in die Gegenwart hinein. Er flüchtet nicht von einer Stelle in die nächste und zieht sich nicht in Träume und Phantasien zurück. Aber: die soziale Stellung als Angestellte, ihre Arbeit und die entscheidenden Probleme haben beide Romanfiguren gemeinsam. Man braucht sich eigentlich nicht viel Zeit zwischen dem Ende des einen Romans, in dem Simon symbolisch von der geschlossenen Tür des Lebens spricht, vor der er noch immer wartet, und dem Beginn des folgenden Romans zu denken, wenn der Wanderer Joseph vor der Tür der Villa ‚Zum Abendstern' steht.

Simon ist die Welt in zwei Teile zerbrochen, und die Suche nach der verlorenen Einheit bleibt erfolglos: die Arbeit läßt sich in seine Vorstellungen von einer harmonischen Einheit nicht integrieren. Aber er kann nicht aufhören, die soziale Welt an seinen Erwartungen von Schönheit, Glück, Sinn zu messen. Ihr schlechtes Abschneiden führt zu seinem Wandern und Suchen nach Sinn und Erfüllung in der Arbeit. Joseph versucht, die Tür zum Leben auf eine andere Weise zu öffnen: er bleibt in einer einzigen Anstellung,

---

[9] Diese Träume und Phantasien darf man nicht mit dem „Schlupfwinkel für Müßiggänger" (G. T. 80) gleichsetzen, als der die Poesie einmal bezeichnet wird. Simon sagt ausdrücklich von sich, er sei kein Poet, wolle sich nicht zurückwenden und Vergangenes beschreiben.

in der Villa ‚Zum Abendstern'. Nach dem Scheitern des ersten Versuches, der von den idealen Vorstellungen Simons ausging und diese in der Wirklichkeit durchsetzen wollte, versucht Walser nun, einen neuen Versuch auf die Ansprüche und Notwendigkeiten der Arbeit zu gründen. Dadurch gewinnt die Arbeit bei Ingenieur Tobler eine exemplarische Bedeutung: die Villa ‚Abendstern' auf ihrem einsamen Hügel wird für Joseph zu einem Versuchsraum, der das Leben in kleinem Maßstab abbildet. Sie läßt entfernt an Thomas Manns Zauberberg denken, aber bei Walser steht nicht das Individuelle, ein „problematisches Ich" im Vordergrund, sondern die Probleme, die aus der modernen Arbeitswelt entstehen. Wenn Thomas Mann über seinen Roman sagt,

> „Daß das Soziale meine schwache Seite ist [...] Aber der *Reiz* [...] des Individuellen, Metaphysischen ist für mich nun einmal unvergleichlich größer." (23. 4. 1925 an Julius Bab),

so muß man Walser zugestehen, daß er gerade dieses Soziale zum Mittelpunkt seines Romans macht, sei es auch mit der Einschränkung, daß es nur in der Brechung eines etwas skurrilen Individuums erscheint. Aber Josephs Probleme sind die des arbeitenden Menschen in der modernen Gesellschaft, mag sein Sonderlingscharakter auch oft darüber hinwegtäuschen. Es geht zu weit, in Walsers Figuren Stehkragenproletarier zu sehen, die um „Klassensolidarität" bemüht sind.[10] Sie bleiben Individualisten – in oft extremer Weise –, die auf ihrem persönlichen Weg zum Leben in einer entfremdeten Welt gezeigt werden.

Joseph Marti ist zunächst von seiner Aufgabe bei Ingenieur Tobler und von der Berechtigung und dem Sinn seiner Geschäfte erfüllt. Als sich die ersten Zweifel einstellen, findet er Mittel und Wege, sie zu bekämpfen, und er geht dabei – wie wir gesehen haben – bis zur Selbsttäuschung. Er will sich vom Gedanken der Sinnlosigkeit der Arbeit nicht so schnell überzeugen lassen, und das Haus Tobler stellt eine ganze Zahl von Mitteln bereit, die über die desillusionierende Einsicht hinwegtäuschen helfen. Da ist zunächst das schon erwähnte gute Essen und Trinken, das die Arbeit ständig unterbricht und zu einer der wichtigsten Tätigkeiten im Hause Tobler gehört; denn seine stets betonte Güte läßt die geschäftliche Lage leicht vergessen. Immer, wenn die Arbeit so recht beginnen soll, ruft Frau Tobler zu Tisch, „und der innige Gedanke ans Frühstück, ja, der war auch aus so etwas Sonnigem und Sonntäglichem gewoben [...]" (92) Wie kann die Arbeit verdrießlich sein, wenn sogar der Schreibtisch ans Essen erinnert. Nach dem Frühstück im Garten geht Joseph ins Büro: „Es war ja nicht viel zu machen da unten, aber er setzte sich trotzdem, angezogen von einem beinahe lieblichen Gewohnheitsgefühl, an den Schreibtisch, der wie ein Küchentisch aussah, und korrespondierte." (93) Es ist sicher kein Zufall, daß sich seine emotionale Bindung an das Büro im Zusammenhang mit der Küchentisch-Assoziation vom Schreibtisch einstellt.

Dem Essen kommt hier eine weit über seine normale Bedeutung hinausgehende Aufgabe zu: es verdrängt die Schwierigkeiten des Alltagslebens und wird so zu einem bestimmenden Faktor im Leben der Villa.

Noch ein weiterer leiblicher Genuß stellt sich vor das Geschäftliche und „nebelt" seine Probleme ein, das Rauchen. Das Zigarrenrauchen zieht sich als ein Topos durch den Roman und steht immer in besonders enger Beziehung zur Arbeit. „So. Jetzt an die Arbeit"

---

[10] Helms, S. 13.

ruft Tobler, und kaum haben sie das Büro betreten, fragt er: „Rauchen Sie?“ (11 f.) Wie an diesem ersten Tag, so verbindet sich das Rauchen auch weiter auf besondere Weise mit der Arbeit. Es wird geradezu notwendig zum Arbeiten:

„Joseph [...] trat ins Bureau hinein und setzte sich an den Schreibtisch. Den Stumpen anzuzünden vergaß er beinahe, er erinnerte sich jedoch sehr bald dessen Annehmlichkeiten und steckte sich einen von diesen immer vorrätigen Rauchstengeln an. Das behagte ihm seltsam und er konnte arbeiten.“ (176)

Die „Annehmlichkeiten“ des Essens und Rauchens lassen über die Unannehmlichkeiten des Geschäfts leichter hinwegsehen, besonders, wenn man die Tätigkeiten miteinander verbinden kann. Das Rauchen hilft über Schwierigkeiten hinweg und bewährt sich noch auf dem Höhepunkt der geschäftlichen Krise als Beruhigungsmittel: Tobler hat sich gerade entschlossen, seine Verwandten anzubetteln, und meint dann zum Gehülfen:

„[...] und vergessen Sie nicht, die ganze ‚Reklame-Uhr-Geschichte‘ noch einmal mit sauberer Schrift übersichtlich zusammenzustellen! Rauchen Sie! Stumpen sind wenigstens noch da. Nun holt uns entweder der Teufel oder wir brechen durch.“ (241)

Wenn der Gedanke an den geschäftlichen Zusammenbruch sich kaum noch überdecken läßt – die Stumpen helfen darüber hinweg. Sie sind ein geradezu unfehlbares Mittel gegen Probleme und geben Joseph eine Sicherheit, die ans Wunderbare grenzt:

„Mochten Sie kommen, die Friedensrichterämter und Bezirksgerichte und die ebenso zahlreichen wie tückischen Zahlungsaufforderungen, er und Tobler, sie würden deswegen noch lange fortfahren, und zwar ganz ruhig und seelengemütlich, ihre duftenden Stengel und Rauchzinken herunterzudampfen.“ (229)

Hier wird das Rauchen beinahe eine Versicherung für die Zukunft; und es wird immer wieder betont, wie sehr sich Joseph daran hält.

Wie dringend er solcher Ablenkungsmittel bedarf, wird noch deutlicher, wenn sie die Arbeit nicht nur begleiten, sondern an ihre Stelle treten. Ein solches Mittel, die Aufgaben im Büro zu vergessen, ist die Gartenarbeit. Eine seiner Lieblingsbeschäftigungen ist das Wasserspritzen:

„Er fand das zu nett, so den dünnen silbernen Wasserstrahl durch die Luft schneiden zu sehen und das Aufklatschen des Wassers auf den Blättern der Bäume anzuhören.“ (165)

Er benutzt jede Gelegenheit, aus dem Büro zu entkommen und sich im Garten zu beschäftigen, eine Wäscheleine zu spannen oder ähnliches. (171) Der Zusammenhang seiner Zweifel am Geschäft und am Sinn seiner Tätigkeit mit seiner Arbeit im Garten wird ihm selber bald klar, und er macht sich Vorwürfe, seinen Pflichten auszuweichen:

„Sorge du nur auch dafür, daß aus dem ‘Schützenautomaten’ bald Patronen herausfallen, zaudere nicht so lange, zieh energisch am Hebel, die Maschine, die von Herrn Tobler, deinem Herrn und Meister, so ingeniös erdacht und ausgeführt worden ist, wird sich dann schon in Bewegung setzen. [...] Zum Waschseilspannen, mein Herr Gartenspritzer und -bewässerer, hat man Sie nicht hinauf auf den grünen Hügel berufen. Sie spritzen mit Vorliebe den Garten, nicht wahr? Schämen Sie sich! Und haben Sie auch schon nur ein einziges Mal an den patentierten Krankenstuhl gedacht? Gott im Himmel, ein solcher Angestellter! Sie verdienen, vom ‘Leben vernachlässigt’ zu werden.“ (148 f.)

Hier spricht Joseph in erlebter Rede die Bedeutung seiner Nebentätigkeiten deutlich aus: Flucht aus dem Büro, Flucht vor der Arbeit, deren Notwendigkeit und Sinn ihm längst fragwürdig geworden sind. Sein erster Eindruck vom Haus Tobler ist verflogen, Solidität und Güte des Geschäftes haben sich als Schein erwiesen. Essen und Trinken, Rauchen und Gartenarbeit sind an die Stelle der eigentlichen Aufgabe getreten und verdrängen die Einsicht, daß Joseph nicht findet, was er gesucht hat: eine Arbeit, die ihn mit dem Leben versöhnt, die – wie Simon Tanner sagt – auf der Waage von Geschäftsvernunft und Menschenliebe balanciert. Simon flieht in Träume und Phantasien, Joseph sucht seine eigenen Ersatzbefriedigungen, die sicherlich in engerer Beziehung zu seiner Arbeit stehen und nicht aus der Wirklichkeit herausführen. Aber es besteht kein Zweifel: auch er ist auf der Suche nach einem sinnvollen Leben gescheitert und sucht dieser Erkenntnis zu entkommen. Sein letztes Mittel ist der Gang in die Natur und das Berauschen an ihrer Schönheit und Harmonie. Wenn die Schwierigkeiten im Büro übergroß werden, flieht er in seine Fußwanderungen und nimmt die Natur als Ersatz für das, was die Gesellschaft ihm nicht bieten kann. Eben beschäftigte er sich noch mit Toblers deprimierenden „Zahlungsverweigerungsgründen", dann heißt es: „Und wenn das schöne Wetter wieder kam, wie glücklich konnte einen das berühren!" (170)

Joseph ist ebenso gescheitert wie sein Vorgänger Simon Tanner; aber da gibt es doch einen gewichtigen Unterschied. In Walsers erstem Roman erfährt der Leser keinen Grund für Simons Erfolglosigkeit. Die Vermutung liegt nahe, daß Simon nicht den richtigen Weg gefunden hat – aber das bleibt eine Vermutung. Im „Gehülfen" wird dagegen von Anfang an deutlich: Joseph scheitert nicht aus eigener Schuld, sondern er unterliegt den Verhältnissen, die er antrifft. Der Erzähler läßt nie einen Zweifel daran, daß die Welt, in der Joseph lebt, eine Scheinwelt ist, daß sie ihre Solidität und ihren Sinn nur vortäuscht. Sie ist längst irreparabel in die Teile zerfallen, deren Einheit Joseph durch intensives Suchen für sein Leben zu finden hofft. Joseph ist nicht so naiv, daß er die Zerrissenheit nicht sähe, aber er ist doch so voller Hoffnung und Enthusiasmus, daß er an eine mögliche Heilung glaubt. Seine Suche ist von Anfang an zum Scheitern verurteilt, denn er sieht nicht, daß zunächst die Gesellschaft sich ändern müßte, bevor sich seine Pläne erfüllen ließen.

Tobler, der in der kleinen Welt der Villa ‚Abendstern' nicht nur der Arbeitgeber für Joseph ist, sondern eine ganze Gesellschaftsschicht vertritt, läßt sich leicht als arbeitsscheuer, spleeniger Wirrkopf verstehen. Bei genauerem Zusehen zeigt sich jedoch, wie vielschichtig und im Grunde ernsthaft dieser oft bis ins Groteske gezeichnete Mann gemeint ist. Er ist sicher zunächst einmal die Karikatur eines Unternehmers: er beginnt mit einem Haufen Geld und endet mit einem Haufen Schulden; dazwischen liegt eine Unzahl von Erfindungen, die keinen Pfifferling wert sind, aus denen aber seine ganze Tätigkeit besteht. Er ist ein Unternehmer nicht durch sein Geschäft, denn das hat nie einen roten Heller eingebracht, sondern allein durch sein Auftreten und seinen Lebensstil. Er hält ein großes Haus mit einer Magd, hat ein Büro mit einem technischen Angestellten, führt eine umfangreiche Korrespondenz und vergibt Aufträge. Er erfüllt alle Voraussetzungen, die zu einem Geschäft gehören, und die eine Kleinigkeit, daß ihm das Geschäft selber leider fehlt, stört ihn persönlich wenig. Aber das ist nur die eine Seite

Toblers. Hinter dieser schillernden Seifenblase steckt mehr: der 'Fall Tobler' enthält – unter der lächerlichen Fassade – ein ernstes Problem.

Tobler tritt zunächst in einer selbstsicheren, herrischen Pose auf. Aber der Wirkung seines Befehlstons, auch der Polterei dem Angestellten und seiner Frau gegenüber, wird vom Erzähler bald die Spitze gebrochen durch eine leise Ironie. Tobler bekommt einen Tobsuchtsanfall, als er hört, daß es seiner Frau und dem Gehülfen nicht gelungen ist, einen potentiellen Geldgeber bis zu Toblers Rückkehr festzuhalten. Er schreit beide an und haut mit der Faust auf den Tisch: „Er würde die Petroleumlampe mit der Faust zerschlagen haben, wenn Frau Tobler sie nicht glücklicherweise in diesem Moment, bevor die Hand niedersauste, etwas weiter gerückt hätte." (89) Die Diskrepanz zwischen dem blinden Zorn Toblers und der leisen Geste der Frau, die die Lampe nur „etwas weiter" rückt, läßt den ganzen fürchterlichen Auftritt Toblers ein wenig lächerlich wirken. Die Szene deutet an, daß das herrscherliche Auftreten Toblers vielleicht doch nur eine Maske ist. Nach einem ähnlichen geschäftlichen Rückschlag heißt es: „Das war ein neuer, peinlicher Mißerfolg, der Tobler veranlaßte, den Briefbeschwererlöwen zu Boden zu schmettern, wo er in Stücke flog, die der Gehülfe aufhob." (191) Die ironische Distanzierung erreicht der Erzähler vor allem durch das förmliche und zu dem Wutausbruch in lächerlicher Diskrepanz stehende Verb „veranlaßte". Natürlich muß ein Löwe herhalten, um die Briefe zu beschweren, und natürlich müssen die Folgen eines solchen Theaterdonners gleich beseitigt werden, denn Herr Tobler liebt ja die Ordnung. Es ist eine Aura von Kraft und Energie, die Tobler um sich zu schaffen versucht, die der Leser aber bald als eine Pose durchschaut. Dahinter verbirgt sich jedoch nicht nur der erfolglose und lächerliche Erfinder, sondern ein Mann, der seine Geschäfte mit großer persönlicher Anteilnahme, ja geradezu mit Liebe begonnen hat. Toblers Frau ist klug genug, um ihren Mann genau zu kennen, und sie charakterisiert ihn scharfsichtig:

> „Er liebt zu sehr seine eigenen Pläne, das untergräbt dieselben. Er ist ein viel zu heiterer Mensch, und er nimmt alles zu gerade, zu plötzlich, deshalb viel zu einfach. Er ist eine schöne, volle Natur, und solche Naturen reüssieren mit solchen Unternehmungen nie, oder fast nie." (263)

Tobler ist kein Geschäftsmann, weil er an seinen Unternehmungen hängt, sie nicht als kalter Rechner betrachtet, sondern mit ihnen lebt, und das Geschäft mit seiner ganzen „vollen Natur" betreiben will.

Er wirkt recht mitleiderregend, wenn er den trockenen, biederen, bauernschlauen Bärenswilern gegenübergestellt wird, die ihre Geschäfte immer mit Profit machen, da sie ein „etwas heimtückischer, oder, wie vielleicht der richtige Ausdruck lautet, heimlich-feister Menschenschlag" sind. (167) Diese Bärenswiler, die hämisch seinen Niedergang beobachten, will Tobler immer wieder für sich gewinnen, indem er sie von seiner Sache zu begeistern sucht. Aber das ist der falsche Weg. Begeistert ist Tobler, die Geschäfte machen die anderen. Frau Tobler stellt fest: „Er hat in all dieser Zeit meines Erachtens nach nur den Ton dieser pfiffigen und schlauen Leute angenommen, das äußere Betragen, die Manieren, nicht aber zugleich die Fähigkeiten." (262) Und sie hat sicher recht. Tobler wird von denselben Ideen geleitet wie sein Gehülfe: er will die Arbeit mit Begeisterung führen, das Schöne mit dem Geschäft verbinden. Joseph hat das am Ende ihrer Zusammenarbeit erkannt:

„Was veranlaßte ihn, nun noch länger der Angestellte dieses Mannes zu bleiben? Der Gehaltsrückstand? Ja, das auch. Aber es war noch etwas ganz anderes, etwas Wichtigeres, er liebte aus dem Grund seines Herzens diesen Menschen." (301)

Der Gehülfe Joseph und der Ingenieur Tobler sind bei allen Unterschieden des Alters, Standes, Herkommens doch Verwandte im Geist. Sie haben beide dasselbe Ziel vor Augen gehabt, die Balance zwischen der „Geschäftsvernunft" und der „Seele voll Liebe", und sie sind beide gescheitert. Noch im Mißerfolg ähneln sie sich: Joseph flüchtet in seine Ersatzbefriedigungen, und Tobler baut sich seine eigenen künstlerischen Paradiese: er spielt die Rolle des gehetzten Geschäftsmannes, der stets auf Reisen ist; und als er nicht mehr reisen kann, sitzt er wenigstens im Bahnhofsrestaurant und klagt, daß ihm der Zug „an der Nase vorbeigefahren" sei; „man konnte, wenn man Wirt hieß, manchmal meinen, er verpasse sie absichtlich." (161) Nicht nur das Reisen dient ihm als Fluchtmöglichkeit (118), Tobler hat – wie Joseph – eine ganze Zahl von Betäubungsmitteln bereit: die ernsthaften Wirtshausdiskussionen, die großen Feste, den Haß auf das „Lumpen-Bärenswil" (111), das Kartenspielen (den Jaß) und schließlich Hoffnungen: auf einen reichen Kompagnon, auf Erfolg der Patente, auf die Beteiligung an einer Fabrik, auf Geld. Am Ende lebt er nur noch von Hoffnungen. (182, 192, 237, 256 usw.) Mal „wünschte er sich über die Berge in ein späteres Jahrzehnt versetzt", mal möchte er die Zeit anhalten. (169) Aber seine Geschäfte bringt er nicht mehr in Ordnung, weil die Idee, unter der er sie begonnen hat, nicht zum Geschäftemachen taugt. Die Begeisterung, das „Liebliche und Schöne" passen nicht zum Geschäft, und auch dem Ingenieur Tobler ist es nicht gelungen, diese beiden Bereiche zu versöhnen.

So enden beide, Tobler und Joseph, als gescheiterte Existenzen. Der eine wollte als Erfinder Spiel und Arbeit miteinander verbinden, der andere als Angestellter mit der Arbeit so lange umgehen, bis sie ihm zu einer Möglichkeit der Selbstidentifikation geworden wäre. Beide haben die Verhältnisse, in denen sie leben, falsch eingeschätzt. Am Ende zieht Joseph – wie schon sein Vorgänger Simon Tanner – wieder in die Welt hinaus. Aber er hat – im Unterschied zu seinem Vorgänger – keine Hoffnung mehr, sein Ziel auf irgendeine Weise noch zu erreichen und die „Tür des Lebens" zu öffnen. Seine letzte Handlung weist zurück auf eines der künstlichen Paradiese aus der Villa Toblers:

„Unten auf der Landstraße angekommen, machte Joseph halt, zog einen Toblerschen Stumpen aus der Tasche, zündete sich denselben an und drehte sich noch einmal nach dem Hause um. Er grüßte es in Gedanken; dann gingen sie weiter." (313)

Dieses Ende ist konsequent; es ist schon auf der ersten Seite des Romans angelegt. Der Erzähler weiß mehr als seine Personen und macht von Anfang an klar, daß er die Teilung in Schein und Wirklichkeit, an der Joseph scheitern wird, deutlich sieht. Er hat seinen traurigen Helden einen aussichtlosen Kampf führen lassen, aber es ist ein Kampf, den Walser allem Anschein nach selber ausgefochten hat. Die enge Verwandtschaft zwischen Walser und seinen Romanfiguren ist schon oft betont worden. Herbert Heckmann schreibt:

„Robert Walsers Leben ähnelt dem seiner Figuren. Es ist sanfte Rebellion gegen jede Unfreiheit in der bürgerlichen Gesellschaft und gegen jeden Zwang der zivilisatorischen Errungenschaften." [11]

Alle drei Romane Walsers tragen autobiographische Züge: er hat selber eine Banklehre durchgemacht, bei einem Buchhändler, in verschiedenen Büros, bei einem zweideutigen Erfinder gearbeitet und hat eine Dienerschule besucht. Seine Romane sind gewiß keine unverbindlichen Spielereien, sondern behandeln Probleme, die für Walser existentiell waren.

Aber die enge Verbindung zwischen Autor und Romanfigur darf nicht zu dem Fehlschluß führen, die Rollen von Erzähler und Romanfiguren seien nahezu identisch.[12] Erst aus der Differenz dieser beiden Rollen lassen sich die Romane recht verstehen. Denn der Erzähler greift massiv in das Geschehen ein, und durch ihn kann Walser Abstand zu seinen Figuren gewinnen, deren krampfhafte Bemühungen er oft ironisiert. Die vielen Konjunktive und der häufige Gebrauch von „scheinen", „anscheinend", „allem Anschein nach" u. ä. sind die wohl auffälligsten Distanzierungsmittel[13], die nicht nur die Entfernung Josephs von der Wirklichkeit, sondern auch den Abstand des Erzählers von seinen Figuren sichtbar machen. In Sätzen wie: „Das Haus Toblers, wie steht es da, fest und zugleich zierlich, als werde es von lauter Anmut und Lebensgenügsamkeit bewohnt!" (108) fließen durch indikativische und konjunktivische Aussagen die Perspektive Josephs und des Erzählers zusammen, so daß die Beobachtung des einen durch die Darstellungsweise des anderen relativiert wird. Von großer Wirkung sind die häufigen Perspektivverschiebungen: der Text gleitet oft kaum merklich vom Bericht über direkte und indirekte Rede in die erlebte Rede und den inneren Monolog. Dieses Mittel benutzt Walser immer wieder, um Distanz zu gewinnen und dem Leser zu zeigen, wie weit Joseph sich von der Realität entfernt.

„Der Kassenbote der Bärenswiler Sparbank trat ein. Natürlich ein Wechsel, dachte Joseph. Er stand von seinem Platz auf, nahm das Formular in die Hand, besah es von allen Seiten, schüttelte es hin und her, prüfte es auf das genaueste, machte ein zugleich nachdenkliches und gewichtiges Gesicht und sagte dann zu dem Boten, es sei gut, man werde vorbeikommen.

Der Mann nahm den Wechsel wieder zu sich und ging. Joseph nahm sogleich die Feder zur Hand, um brieflich den Aussteller des Wechsels zu ersuchen, noch einen Monat Geduld zu haben. Wie leicht sich das schrieb! Auch der Bank mußte gleich telephoniert werden. In diesen Dingen hatte man nun hoffentlich bald ein wenig Routine. Da hatte er sich einfach hingestellt und seine Augen fest auf den zu zahlenden Betrag gerichtet, und dann hatte er einfach den Boten ruhig, ja sogar etwas streng angeschaut. Wie der Mann Respekt bekam! [...] [Der Chef] hatte gerade jetzt ganz anderes zu tun, den konnten jetzt nur die großen Sorgen beschäftigen. Dafür hatte ja Tobler einen Angestellten, damit dieser womöglich intelligente und geistreiche Kerl ihm die klei-

---

[11] Heckmann, H.: Ein Meister der kleinen Form. Nachwort zu: Robert Walser: Kleine Wanderungen. Reclam Nr. 8851, S. 66.

[12] Naguib geht zu weit, wenn er schreibt, daß grundsätzlich „die Grenze zwischen Erzählerbericht und den Gedankengängen des Gehilfen verwischt wird". (S. 41)

[13] Dierk Rodewald hat dem konjunktivischen Grundzug des Romans in einem eigenen Kapitel seines Buches (Robert Walsers Prosa. Versuch einer Strukturanalyse. Verlag Gehlen, Bad Homburg v. d. H./Berlin/Zürich 1970) genaue und differenzierte Untersuchungen gewidmet. (S. 164–182)

nen Unannehmlichkeiten abnahm, sich dicht an der Tür aufstellte, um ungerufene, steife Akzeptwechselmenschen energisch weiterzubefördern. Nun, das tat Joseph ja auch. Aber dafür rauchte er jetzt auch wieder einmal einen von den eben aus dem Dorf herspedierten Zigarrenstumpen.

Er ging im Bureauraum auf und ab." (77 f.)

In diesem kurzen Auszug verändern sich die Sprechhaltung und die Perspektive fortwährend, und oft ist kaum zu unterscheiden, wer spricht oder welchen Anteil Joseph oder der Erzähler an der Aussage haben („Nun, das tat ja Joseph auch. Aber dafür [...]"). Die Nahtstellen dieser ständigen Verschiebung benutzt Walser, um der Szene ihre Doppeldeutigkeit zu geben: der Leser sieht nicht nur den pflichtbewußten Angestellten, sondern auch dessen Selbsttäuschungen und den Zusammenhang mit der gesamten geschäftlichen Situation. Mit diesem oft raffiniert eingesetzten Stilmittel gelingt es Walser während des ganzen Romans, die Schizophrenie im Hause Tobler und besonders die Josephs durch die Sprache hindurchscheinen und den Leser bei den Selbsttäuschungen zusehen zu lassen.

Das unpersönliche „man" ist ein weiteres Mittel, das Walser – auch außerhalb der erlebten Rede – häufig mit ironischer Wirkung verwendet. Vor allem im Zusammenhang mit der Hoffnung erscheint es fortwährend. Eigentlich wagt von den drei Personen im Hause Tobler gar niemand mehr, wirklich und auf ein konkretes Ereignis zu hoffen, und doch ist die Hoffnung allgegenwärtig: „Man hofft!" (237) Solche wie ein Leitmotiv immer wieder auftauchenden Wendungen machen dem Leser die Aussichtslosigkeit dieses Hoffens klar und zeigen ihm zugleich, wie „man" sich im Hause Tobler daran klammert, um die Augen nicht öffnen zu müssen.

Es wäre weit gefehlt, aus diesen Beobachtungen zu schließen, daß Walser sich über seine Figuren lustig machen wollte. Hinter aller Ironie und burlesken Komik steckt eine Ernsthaftigkeit des leisen Aufbegehrens, die man nie übersehen sollte. Was die Leser mit verschiedensten Erwartungen an Walser stört und verstört, scheint eine gewisse Unstimmigkeit zu sein: die einen sehen nur Revolte und sind entsetzt, die anderen sehen nur Zartheit und leise Töne und sind enttäuscht. Tatsächlich scheinen diese beiden Seiten von Walsers Dichtung ja auch unvereinbar zu sein. Walter Benjamin hat in seinem Aufsatz von Walsers „Sprachgirlanden" gesprochen.[14] Obwohl Benjamin wohl vorwiegend an Walsers Kurzprosa gedacht hat, läßt dieses Bild sich auch auf die Romane anwenden. Mit den Girlanden seiner Sätze verhüllt Walser das wieder, was er eben aufgedeckt hat. Die Widersprüche in Toblers Geschäften, die Diskrepanzen in Simons und Josephs Leben werden durch die Sprache sichtbar und gleichzeitig verdeckt. Die Wortwahl dient dazu ebenso wie die Satzkonstruktionen. „Solch ein niedliches Rechnungsbüchlein, was ging da nicht alles Mögliche hinein! Man nahm einfach die Waren und ließ munter aufschreiben." (162) Wer vermutet hinter solchen Sätzen schon den Konkurs und Ruin eines Unternehmers? Oder wer könnte die verzweifelte Situation des sich gegen seine „Herrin" auflehnenden Angestellten aus dem gedrechselten Satz herauslesen:

„Im Gartenhaus, während des Imbisses, fühlte sich der Angestellte durch die Freundlichkeit, mit der ihn die Frau behandelte, gezwungen, zu sagen, er bereue, sich so keck gegen Frau Tobler benommen zu haben." (163)

---

[14] Benjamin, W.: R. Walser. In: W. B. Illuminationen. Suhrkamp Verlag, Frankfurt 1961, S. 371.

Walsers Wortwahl und seine Satzkonstruktionen sind nicht eigentlich originell. Er verwendet – abgesehen von einigen Schweizer Eigentümlichkeiten – ein alltägliches Vokabular mit seltenen Archaismen und Konstruktionen, die gelegentlich den schwerfälligen Amtsstubenstil nachahmen. Aber die Kombinationen und der Zusammenhang lassen die Sprache oft fremd und neuartig erscheinen. Dadurch legt sie einen entstellenden Schleier über Aussagen, die eine harte und bedrohliche Umwelt spiegeln. Simon erzählt in seiner Lebensgeschichte von seiner Mutter, die ihre Kindheit in bitterster Armut verbracht hat und bei ihrer leiblichen älteren Schwester als Dienstmädchen arbeiten mußte. In seiner Erzählung hört sich das so an:

„Als Kind ging sie einen weiten, tief mit Schnee bedeckten Weg in die Schule, und ihre Schulaufgaben machte sie in einer kleinen Stube, bei einem armseligen Lichtstümpfchen, daß ihr die Augen weh taten, weil sie die Buchstaben im Buch kaum lesen konnte. Ihre Eltern waren nicht gut zu ihr, so lernte sie früh die Schwermut kennen und stand, als sie Mädchen war, eines Tages an ein Brückengeländer angelehnt und dachte darüber nach, ob es nicht besser wäre, in den Fluß hinabzuspringen." (G. T. 325)

Das klingt wie aus einem fernen Märchen, obwohl es nicht in der Art des Märchens erzählt ist. Es sind die bildlichen Details, die die Aussage überwuchern, und der umständlich geschachtelte Erzählduktus, welche den Leser beinahe vergessen lassen, daß hier ein Kind aus Armut und Hoffnungslosigkeit einen Selbstmord plant. Walser zeigt die Dinge nicht so, wie sie sind, sondern er hüllt sie in die umständlichen Gesten seiner Sprache ein. Die Welt deformiert sich, sobald Walser sie sieht und benennt, und sie versteckt sich hinter Worten, die nur ein entstelltes Bild von ihr durchscheinen lassen.

In einer solchen Sprache führt Walser seine Zeitkritik vor, seine in der Substanz harte Anklage einer Gesellschaft, in der die *Verwertung* der Sachenwelt zu einer *Entwertung* der Menschenwelt führt. Die Sprache entstellt seine Einsichten, man erkennt vertraute Gegenstände oft erst beim zweiten Hinsehen wieder, so fremdartig erscheinen sie in seinen Worten. Es wäre gewiß nicht richtig zu sagen, daß er seine Anklage gleich wieder rückgängig mache oder daß die Sprache Ausdruck seiner Resignation sei. Er spricht vielmehr aus der Position einer Überlegenheit, aus der Position eines, der die Notwendigkeit und gleichzeitig die Aussichtslosigkeit seines Kampfes sieht. Die Sprache ist für ihn das Ausdrucksmittel dieser Doppeldeutigkeit: sie enthüllt und verschleiert gleichzeitig. Walser bettet die verletzend scharfen Kanten der Umwelt, indem er sie vorzeigt, in eine Wolke von Zartheit. In dieser sprachlichen Verformung liegt die Überlegenheit und gleichzeitig die Gefahr der Romane, in denen die Ambivalenz der Dinge ins Diffuse zu gleiten droht und das betont Subjektive der Sprachgestalt die objektiven Widersprüche einebnet. Im „Gehülfen" wird diese Haltung einmal ausgesprochen. Tobler hat Joseph beschimpft und des Diebstahls bezichtigt. Danach heißt es:

„Joseph hatte das eben Vorgefallene, das Wüste, nicht vergessen, er trug es beschämt mit sich, aber es hatte sich in etwas Unbekümmert-Leidvolles, in etwas Ebenmäßig-Verhängnisvolles verwandelt. Er zitterte noch ein wenig und dachte: Also muß man mich mit Demütigungen zur reinen Freude an der Welt Gottes aufpeitschen?" (24)

Das Leid ist nicht eigentlich der Gegensatz, sondern eine subjektiv andere Erscheinungsweise der Freude.

Es bleibt noch ein kurzer Ausblick auf den dritten Roman Walsers, „Jakob von Gunten" nachzutragen.[15] Schon die Arbeit bei Tobler ist der Beginn eines Rückzuges. Joseph arbeitet nicht mehr in einem Bankhaus, in einer Fabrik oder in einer anderen Stellung, in der er die ganze Härte der Arbeitswelt erlebte wie noch Simon Tanner. Er hat sein Versuchsfeld eingeengt und die Anforderungen dosiert; aber Simons Probleme tauchen in unverminderter Heftigkeit wieder auf, und auch Joseph ist ihnen nicht gewachsen. Er bricht seinen Weg an einer ähnlichen Stelle ab wie Simon, aber er verläßt den Schauplatz, ohne die Möglichkeit einer Fortsetzung anzudeuten. Das Experiment ist gescheitert, das Ziel in unerreichbare Ferne gerückt. Jakob von Gunten zieht daraus die Konsequenz und tut einen entscheidenden Schritt: er zieht sich in das Institut Benjamenta zurück, in dessen Treibhausatmosphäre er sein Ich zu verlieren versucht. Jakob stellt sich nicht mehr der Herausforderung durch die Welt und die Gesellschaft, sondern sucht den Weg nach „unten", in eine totale Abhängigkeit und Bindung, die von der Notwendigkeit des Suchens und Kämpfens befreit:

„Das Gesetz, das befiehlt, der Zwang, der nötigt, und die vielen unerbittlichen Vorschriften, die uns die Richtung und den Geschmack angeben: das ist das Große, und nicht wir, wir Eleven." (J. v. G. 392)

Die freiwillige Unterwerfung unter ein fremdes Gesetz enthebt die Schüler der Notwendigkeit, sich zu entscheiden, selbständig zu handeln. Der Musterschüler Kraus hat die Ziele des Instituts verwirklicht, er ist zu einer „guten, runden Null" geworden (J. v. G. 381), und wirft Jakob, der nicht aufhören kann zu zweifeln und nach einem eigenen Weg zur Selbstverwirklichung zu suchen, immer wieder vor, daß er „naive" und „sündhafte Fragen" stellt (J. v. G. 414). Jakob, der mit dem festen Vorsatz ins Institut eingetreten ist, sein Ich aufzugeben, kann sich den Forderungen der Erziehung nicht unterwerfen, er bringt es nicht fertig, seine kritische Selbständigkeit aufzugeben. So weist auch das Institut Benjamenta keinen Weg zur Beendigung der Krise, denn es stürzt Jakob in einen unlösbaren Rollenkonflikt. Aus dieser Situation gibt es keinen Ausweg mehr, das Institut war eine Endstation für Jakob. Jetzt hat er nur noch eine Möglichkeit: die endgültige und totale Flucht aus einer Welt, deren Schwierigkeiten übermächtig für ihn sind:

„Ich gehe mit Herrn Benjamenta in die Wüste. [...] Jetzt will ich an gar nichts mehr denken. Auch an Gott nicht? Nein! Gott wird mit mir sein. Was brauche ich da an ihn zu denken? Gott geht mit den Gedankenlosen." (J. v. G. 492)

Auch dieser Roman endet mit einem Aufbruch – diesmal soll er in ein Leben ohne das quälende Gegenwarts- und Problembewußtsein führen: Flucht aus der europäischen Zivilisation in den Naturzustand der „Wildnis".

Wie eng Walser mit dem Schicksal seiner Romanfiguren verbunden ist, zeigt sein Lebensweg. Nach seinen bewegten Berliner Jahren kehrt er 1913 in die Schweiz zurück, nach Biel, und wiederholt den Weg seiner Romanfiguren: er flüchtet sich in die Natur, in

---

[15] Walser, R.: Jakob von Gunten. Ein Tagebuch. Das Gesamtwerk, hrsg. v. Jochen Greven, Bd. 4. Verlag Helmut Kossodo, Genf/Hamburg 1967, S. 333–492 (im folgenden zitiert: (J. v. G. mit Seitenzahl).

Wanderungen und schreibt Idyllen, die er später als „hirtenbübelig“ bezeichnet und die von süßlichem Kitsch oft nicht weit entfernt sind. Er hat den Kampf aufgegeben und zieht sich – vorläufig wenigstens – in ein Schweizer „Landschäftchen“ zurück, um dort ein wenig zu „bleistifteln“.

Aber es scheint notwendig zu sein, noch einmal zu betonen, daß dieser Rückzug das Ergebnis einer heftigen Auseinandersetzung mit der Zeit war, die in eine persönliche und künstlerische Krise führte. An Max Rychner schreibt Walser 1927:

„Für den Schreiber dieser Zeilen gab es nämlich einen Zeitpunkt, wo er die Feder schrecklich, fürchterlich haßte, wo er müde war. [...] Ich darf Sie versichern, daß ich (es begann dies schon in Berlin) mit der Feder einen wahren Zusammenbruch meiner Hand erlebte, eine Art Krampf, aus dessen Klammern ich mich auf dem Bleistiftweg mühsam, langsam befreite.“ [16]

Der „Bleistiftweg“ spielt auf Walsers Arbeitsweise in der Bieler Zeit an, die sich auf das Spielen und Malen mit dem Bleistift gründete. Greven hat gezeigt, daß dieses „bleistifteln“ und „zeichnelen“ die unmittelbare Folge des Rückzugs ins Persönliche, der Ausdruck des Klein- und Unscheinbarmachens ist.[17]

In der Zeit vor dem ersten Weltkrieg, als es keineswegs selbstverständlich war, die Welt aus der Perspektive des Besitzlosen zu schildern, hat Walser mit aller Deutlichkeit Position bezogen; und daß manche der bürgerlichen Feuilletonleser ihn verstanden, mindestens gespürt haben, was sich hinter seinen Sprachgirlanden verbirgt, zeigen ihre wütenden Reaktionen, zeigt die Drohung, eine Zeitung abzubestellen, wenn weiterhin Walsers Prosa abgedruckt werde[18], und zeigt vielleicht auch ihre Nichtachtung, ihre beharrliche Weigerung, einen Autor zur Kenntnis zu nehmen, der von großen Schriftstellern und Literaturkennern des Jahrhunderts hoch geschätzt wurde und wird.[19] Thomas Mann, der über Erfolg beim Lesepublikum kaum zu klagen hatte, schreibt über den „Zauberberg“:

„Einige Kritik des vorkriegerischen Kapitalismus läuft mit unter. Aber freilich, das 'Andere', das Sinngeflecht von Leben und Tod, die Musik, war mir viel, viel wichtiger.“ (an Julius Bab, 23. 4. 1925)

Solche und ähnliche Sätze hätte Walser allerdings nicht schreiben können. Ihm ging es – auch wenn er sich nie unmittelbar politisch geäußert oder betätigt hat – eben um das konkret Gesellschaftliche, um soziale Probleme seiner Zeit. Sollte sein Mißerfolg beim Publikum nicht allein durch seine Eigenbröteleien zu erklären sein?

---

[16] Zitiert nach Greven, J.: Robert-Walser-Forschungen. In: Euphorion 64, 1970, S. 107.

[17] Aus Grevens überzeugender Deutung ergibt sich auch eine Erklärung für die rätselhaften ‚Mikrogramme‘. (S. 107–109)

[18] Vgl. Mächler, R.: Das Leben Robert Walsers. Verlag Helmut Kossodo, Genf/Hamburg 1966, S. 166.

[19] Unter Walsers Zeitgenossen waren es nachweislich: Kafka, Musil, Morgenstern, Hesse, W. Benjamin.

Klaus-Peter Philippi

Robert Walser ‚Jakob von Gunten'

‚Ein Tagebuch' nennt sich im Untertitel Walsers dritter Roman, der zugleich sein letzter war – 1908 im Verlag Cassirer in Berlin erschienen.

Als *Roman* gehört der Text Walsers zum weiten Bereich der fiktionalen Literatur; der Terminus signalisiert eine traditionell ästhetische Intention des Autors und provoziert eine bestimmte Lesehaltung des Publikums. Wer das Erzählte als tatsächlich geschehene oder geschehende Wirklichkeit, als Bericht von historisch zu beglaubigenden Ereignissen nimmt, täuscht sich; diese Täuschung, der man erliegt, wenn man den Charakter des ästhetischen Scheins nicht mitliest, ist „eine nur vorgebliche"[1], man soll und kann sie erkennen. Ja, die Täuschung als bewußt gewordene ist identisch mit dem ästhetischen Schein: „der ästhetische Schein des epischen Kunstwerks ist derjenige Schein historischen Erzählens, den das fiktionale Erzählen im Moment der epischen Täuschung besitzt".[2] Diese Täuschung als Täuschung, als Schein zu erkennen und zu akzeptieren, macht die ästhetische Haltung des Lesers aus[3]: sie bedeutet Abstand, Nicht-Identifikation, Möglichkeit von Erkenntnis. Während der Roman erzählt von dem, was scheinbar geschehen ist, berichtet das *Tagebuch* in der Regel von konkreten Ereignissen, von historischen Personen, wenn auch gefiltert durch Bewußtsein und Sprache des Autors. Er beglaubigt mit seinem Namen die Wahrheit des Berichteten, seien es auch seine subjektiven Reaktionen und Seelenzustände. Der Bericht bezieht sich auf historisch Vergangenes, das als 'wahre Geschichte' dokumentierbar sein muß, historischer Nachprüfung und Kritik ausgesetzt ist.[4]

Das Tagebuch des fiktiven Jakob von Gunten richtet sich nicht an den gleichmäßig, von Tag zu Tag vorrückenden 'objektiven' Daten unserer allgemeinverbindlichen Zeitrechnung aus, es benutzt nicht einmal die Abfolge der Tage als Gliederungsprinzip.

Der Anschein der Wahrheit des Erzählten, den das Genre 'Tagebuch' evoziert, steht

---

[1] Heimrich, B.: Fiktion und Fiktionsironie in Theorie und Dichtung der Romantik. (Studien zur deutschen Literatur 9) Max Niemeyer Verlag, Tübingen 1967, S. 39.

[2] Heimrich, S. 39.

[3] Heimrich, S. 43: „Das Phänomen des ästhetisch Fiktiven [...] ist nicht als (objektive) 'Bedingung eines Materials', sondern als 'Funktion eines Verhaltens' gegeben, des ästhetischen Verhaltens des Publikums in jener bestimmten Spiel-Korrelation zur gewußten ästhetischen Intention des Autors nämlich."

[4] Vgl. dazu Weinrich, H.: Tempus. Besprochene und erzählte Welt. (Sprache und Literatur 16). Kohlhammer-Verlag, Stuttgart 1964, S. 77 f.

in einem vom Autor Robert Walser offensichtlich beabsichtigten Widerspruch zum Fiktionscharakter der literarischen Gattung 'Roman'. Roman und Tagebuch der fiktiven Gestalt Jakob von Gunten sind deckungsgleich, die Intentionen des Romanautors Walser sind in die Worte des Tagebuchschreibers eingegangen, der Roman erscheint als Tagebuch. Dem Leser, der diesen Scheincharakter nicht wieder vergißt, verbietet es sich, überall Robert Walser wiederzuentdecken: Walser als Konstrukteur des Romans ist nur über die Analyse der Struktur des Tagebuchs des Jakob von Gunten zu erreichen.[5] Der intendierte Wahrheitsgehalt des Tagebuchs ist nur aus dem Geschriebenen erschließbar; es gibt keinen nicht-fiktiven, außerliterarischen Kontext.

Die fiktive Tagebuch-Form, in die Walser seinen Roman einkleidet, setzt in absoluter Reinheit der Perspektive Jakob von Gunten als Erzähler ein. Wie der Titel hervorhebt, ist das, wovon erzählt wird, vor allem der Erzähler selbst. Für den Leser rückt Jakob durch die Struktur des Erzählens in ein gebrochenes Licht: einerseits ist er der Bezugspunkt, an dem sich der Erzählvorgang des Textes ausrichtet, das erzählende Subjekt, das die immanente 'Wahrheit' des Erzählten herstellt; andererseits hebt er die klare Distanz des Subjekts zu einem Objekt auf, wo er sich selbst zum Gegenstand wird. Wo der Erzähler im Erzählvorgang in jedem Augenblick auf sich selbst reflektiert, ist nur der Reflexions*vorgang* als solcher noch greifbar in der Form, in der er sich sprachlich ereignet. Das erzählende Subjekt als sein eigener Erzählgegenstand löst sich auf in eine fortlaufende Kette von Spiegelungen, von Selbstreflexionen. Es gibt keine 'objektiv', außerhalb des Bewußtseins des erzählenden Subjekts vorhandene Welt; sie kann nur in Bruchstücken durch die Spiegelung im Bewußtsein des Subjekts hindurch erschlossen werden, ist nur vorhanden durch die Art und Weise, wie sie erfahren wird, wobei die Charakteristika dieser Erfahrung ebensoviel über Jakob aussagen wie über seine Welt. Für den Leser erkennbar an diesem Text ist nicht irgendeine Reproduktion von Wirklichkeit, sondern ein *Prozeß* der Selbstfindung und Weltaneignung zugleich.

Im Vorgang des Schreibens und gegenüber dem geschriebenen Text ist sich Jakob als Schreibender gegenwärtig.[6] Das genügt aber nicht, um das Geschriebene deutlich als

---

[5] Solch simple, aber grundlegende Feststellungen sind zur Abgrenzung gegen einen Teil der Walser-Literatur notwendig, deren Hauptinteresse der Person des Autors gilt, nicht seinen Texten als spezifisch literarischen (= fiktionalen) Objekten. – Die Auseinandersetzung mit folgenden Titeln der Walser-Literatur ging der Formulierung dieses Textes voraus:
Avery, G. C.: Inquiry and testament: A study of the novels and short prose of Robert Walser. University of Pennsylvania Press, Philadelphia 1968; *Michel, K. M.:* ‚... und hatte alle Wirklichkeit vergessen'. Frankfurter Hefte 11, 1956, S. 61–63; *Naguib, N.:* Robert Walser. Entwurf einer Bewußtseinsstruktur. Wilhelm Fink Verlag, München 1970; *Pestalozzi,* K.: Nachprüfung eines Vorurteils. Franz Kafkas Beziehung zum Werk Robert Walsers. Akzente 13, 1966, S. 322–344; *Rodewald, D.:* Robert Walsers Prosa. Versuch einer Strukturanalyse. (Literatur und Reflexion 1) Gehlen Verlag, Bad Homburg 1970.
Ihnen verdanke ich einige Hinweise, auch wenn eine Auseinandersetzung aus Platzgründen und um der intensiven Auseinandersetzung mit dem Text willen weggelassen werden mußte.

[6] Vgl. S. 30, 44, 78 f., 100, 105, 135, 157 (zitiert wird, mit Seitenangaben fortlaufend im Text, nach der Taschenbuchausgabe im Kindler-Verlag, München 1964, einer „ungekürzten Lizenzausgabe" des Steinberg-Verlags, Zürich, herausgegeben von Carl Seelig).

Form zu strukturieren. Die fehlende Ausrichtung an einer – wenigstens im Rahmen der Fiktion so erscheinenden – 'objektiven' Zeit läßt die 79 Abschnitte als chaotische Häufung unverbundener Einzelheiten erscheinen. Nur von Jakob und seinen inhaltlich bestimmbaren Erfahrungen aus lassen sich Grundmuster des Textes beschreiben.

Der Erzähler Jakob schafft im Erzählen Zeitverhältnisse; er erwähnt seine Vergangenheit, deutet auf eine Zukunft voraus. Jakob, in jedem Moment des Schreibens seine unmittelbare Gegenwart durch seine Tätigkeit markierend, erzählt, in seine Gegenwartserfahrungen eingelassen, seine Geschichte mit. „Wie dumm ich mich doch benommen habe, als ich hier ankam" (9): Schon zu Beginn der vierten Eintragung wird deutlich, daß der Tagebuchautor sich nicht einmal der relativen Chronologie seiner Eintragungen unterwirft. Während ein Abschnitt zum andern sich addiert, springt Jakob zurück und versucht in der Distanz, in die er zu sich selbst tritt, sich zu begreifen: „Wie muß ich lachen, wenn ich an die nun folgende Szene denke!" (9). Mit der Distanz zu sich selbst gewinnt er einen Rahmen, sein eigenes Verhalten zu interpretieren. Als früherer Jakob kommt er sich komisch vor: Es ist das Lachen des Überlegenen, dessen, der sich entwikkelt hat.

Jakobs Vergangenheit

Der engere Bereich seiner Vergangenheit beginnt mit dem ersten Tag, den er sich in „Benjamentas Knabenschule" (6) aufhält; Jakob schreibt als Zögling dieses merkwürdigen Instituts von einer Position aus, in der ihm seine Umwelt anfangs „im höchsten Grad verdächtig" (9) vorkam und er von sich auf seiner ersten Tagebuchseite notieren muß: „Seit ich hier im Institut Benjamenta bin, habe ich es bereits fertiggebracht, mir zum Rätsel zu werden" (5).

Hinter die Erinnerung an den Eintritt ins Institut zurück reicht bruchstückhaft die an Eltern und häusliche Umgebung. „Mit Vergleichen von zu Hause" (14) beginnt er seine neue Umwelt zu erfassen; auf eine Art aber, mit einer Sprache, die ihn zur Welt des Instituts in ironische Distanz versetzt:

„Es gefällt mir und ich danke Ihnen. Zu Hause war es viel feiner, freundlicher und eleganter, aber hier ist es auch ganz nett. Entschuldigen Sie, daß ich Ihnen mit Vergleichen von zu Hause und mit weiß der Kuckuck was noch alles komme. Ich finde die Kammer aber sehr, sehr reizend. Zwar, das Fenster da oben in der Mauer ist kaum ein Fenster zu nennen. Und das Ganze hat entschieden etwas Ratten- oder Hundelochartiges. Aber es gefällt mir. Und ich bin unverschämt und undankbar, so zu sprechen, nicht wahr?" (14)

Erfahrungen und Urteilskategorien seines bisherigen Lebens werden deutlich, zugleich aber, daß er sich bewußt von ihnen abwendet: *„Aber* es gefällt mir." Indem Jakob sich abwendet, verdeutlicht er die Verschiedenheit zweier sozialer Welten.

„Die von Gunten sind ein altes Geschlecht" (47), berichtet er in einem eingeschalteten Lebenslauf für den Institutsvorsteher Benjamenta. „In früheren Zeiten waren sie Krieger, aber die Rauflust hat nachgelassen, und heute sind sie Großräte und Handelsleute" (47). „Mein Vater hat Wagen und Pferde und einen Diener, den alten Fehlmann. Mama hat ihre eigene Theaterloge" (64). Als „Abkömmling" (109) dazu verurteilt, eine vorgezeichnete Rolle zu übernehmen, bricht der junge Herr „aus sehr gutem Hause"

(10) mit seiner Vergangenheit, die doch immer wieder bruchstückhaft in seinen Reflexionen auftaucht. „Ich sagte unter anderem, mein Vater sei Großrat, und ich sei ihm davongelaufen, weil ich gefürchtet hätte, von seiner Vortrefflichkeit erstickt zu werden" (10). Der gesellschaftliche Standort des Vaters (identisch mit wirtschaftlicher Macht), wird von Jakob unvermittelt in die Wertkategorie des 'Vortrefflichen' übersetzt; die Verinnerlichung des bevorzugten, ererbten Klassenstatus zeichnet das Bewußtsein Jakobs auf eine Weise, daß er mit sich selbst brechen muß, um sich erst als Individuum finden zu können. Erkenntnis verhindert die bruchlose, unreflektierte Übernahme der sozialen Rolle.

„Nein, nie nehme ich Hilfe (Geld) von den zärtlich verehrten Eltern an. Mein verletzter Stolz würde mich aufs Krankenlager werfen, und futsch wären die Träume von einer selbsterrungenen Lebenslaufbahn, vernichtet für immer diese mir in der Brust brennenden Selbsterziehungspläne. Das ist es ja: um mich quasi selbst zu erziehen, oder mich auf eine künftige Selbsterziehung vorzubereiten, deshalb bin ich Zögling dieses Institutes Benjamenta geworden, denn hier macht man sich auf irgend etwas Schweres und Düster-Daherkommendes gefaßt. Und deshalb schreibe ich ja auch nicht nach Hause, denn schon das Berichterstatten würde mich an mir irre machen, würde mir den Plan, ganz von unten anzufangen, vollkommen verleiden." (65)

Das Tagebuch, in dem sich für Jakob Gegenwart und Vergangenheit im Medium reflektierter Erfahrung immer wieder aufeinander beziehen, bedeutet dem entgegen ein Schreiben an sich selbst, in dem Jakob sich als Problem kontrolliert zu entwickeln versucht.

Was Jakob als scheinbar einlinigen Prozeß der Selbsterziehung darstellen will, ist von Beginn an voller Widersprüche, die in Jakobs problematische Existenz hineinführen, ohne daß Jakob sich ihrer immer klar bewußt wäre.

Die Ablösung von Vater und Mutter hat einen interessanten psychologischen Aspekt, der die Erfahrungsmöglichkeiten Jakobs in eine bestimmte Richtung determiniert. Während die Lösung vom Vater, von der Vaterfigur als sozial geprägter Rolle, ausdrücklich geschieht, bleibt Jakob emotional an die Mutter gebunden. Ein Traum (31 f.), in dem er sie mißhandelt, stilisiert sie zugleich zur Heiligen; das Bild der Mutter bleibt Gegenstand der Verehrung [7] bis in die Schlußphase des Tagebuchs.

Die Gegenwart der sozialen Welt, die Jakob als seine Vergangenheit von sich zu schieben versucht, in der Vater und Mutter ihre Rolle spielen, wird zur Folie der inneren Welt des Instituts, der Jakob sich um der Selbstfindung willen unterwirft. Die äußere Welt, pauschal denunziert als „auf die Phrase, Lüge und Eitelkeit" gestellt und abgerichtet, fürchtet und begehrt er über weite Strecken seines Tagebuchs vor allem in dem, was sie regiert, dem Geld. „Innere Erfolge, ja. Doch was hat man von solchen? Geben einem innere Errungenschaften zu essen? Ich möchte gern reich sein, in Droschken fahren und Gelder verschwenden" (5). In reduziertestem Ausmaß schafft Geld noch Unterschiede unter Zöglingen, die sich „in der vollkommenen Armut und Abhängigkeit" gleichen sollen:

„Wer eine Mark Taschengeld hat, wird als bevorzugter Prinz angesehen" (5). Aber auch hier entwickelt sich Jakob. Zehn Mark, in einem „Restaurant mit Damenbedie-

[7] „Ich ging in die Kammer, zündete einen Kerzenstumpf an und vertiefte mich in den Anblick des Bildes von Mama, das ich stets sorgsam aufbewahrt hatte." (151)

nung" (24) ausgegeben, erwecken den Vorsatz: „Ich muß wieder zu einigem wenigem Geld kommen" (25). Von einer gewissen Aktivität in der Welt außerhalb des Instituts wird Jakob im Verlauf seines Tagebuchs immer mehr auf sein Bewußtseinsleben eingeschränkt. Seine Beziehung zum Geld wird, weil er sie nur noch denken kann, symptomatisch für innere Zerrissenheit: „Ich möchte reich sein und den Kopf zerschmettert haben" (70). Sie hilft, die Widersprüchlichkeit und Phantastik seines Gedankenlebens dem Leser in dem Augenblick zu entdecken, wo Jakob scheinbar unmittelbar im Gedankenprozeß anwesend ist.[8] Sein Verlangen nach Geld wird, wo es artikuliert wird, dem Leser gegenüber in der Funktion eingesetzt, im Kontrast zu schockieren; Jakobs Reaktion auf Frl. Benjamentas Erwartung ihres nahen Todes: „Gedanken? I wo. Ich dachte wieder einmal daran, daß mir Geld mangle. Das war mein Gedanke. So bin ich, roh und herzlos" (128 f.). Geld erscheint hier nicht mehr als Mittel der Triebverwirklichung, als reale gesellschaftliche Macht; seine Reflexion darüber wird Jakob zum Anlaß, über sich selbst nachzudenken: dahinter verschwindet der Anstoß, und durch die Reflexion stellt sich sein Verhältnis zum Fräulein Benjamenta wieder her.[9]

Auch im Bild der Natur reduziert sich die äußere Welt vom Institut her. „Eins ist wahr, die Natur fehlt hier. Nun, das, was hier ist, ist eben einmal Großstadt" (18). Die triviale Idylle, in der sich Bild an Bildchen reiht, emotionalisiert und mit einem Hauch das Irdische transzendierender Freiheit verbunden[10], wird im Institut von der kontrollierten Entbehrung ersetzt.

Natur als Bild – auch als Bild menschlichen Lebens – und als Raum der Freiheit war nie als ungebrochene Realität Jakob gegenwärtig. Seine Erinnerung schon bewahrt das Gegenbild dazu:

„Ich habe Stadtwesen und -empfinden mit der mütterlichen Milch eingesogen. Ich sah als Kind johlende, betrunkene Arbeiter hin und her taumeln. Die Natur ist mir schon als ganz klein als etwas Himmlisch-Entferntes vorgekommen. So kann ich die Natur entbehren. Muß man denn nicht auch Gott entbehren? Das Gute, Reine und Hohe irgend, irgendwo versteckt in Nebeln zu wissen und es leise, ganz, ganz still zu verehren und anzubeten, mit gleichsam total kühler und schattenhafter Inbrunst: daran bin ich gewöhnt." (37 f.)

Natur in der Großstadt ist dem erinnerten Bild von Natur entfremdet: „Die Bäume

---

8 Wenn er „reich wäre", würde ihn „eher die Tiefe, die Seele, als die Ferne und Weite locken". Dennoch phantasiert er anschließend vom herrschaftlichen Leben und der Schönheit, Geld „echt vertan" zu haben; doch durchschaut er sich nun selbst: „Nette Träumereien sind das!" (71 f.)

9 Vgl. S. 128 f.

10 „Ich glaube, ich hörte immer die Singvögel in den Straßen auf und ab zwitschern. Die Quellen murmelten weiter. Der waldige Berg schaute majestätisch auf die saubere Stadt nieder. Auf dem nahegelegenen See fuhr man abends in einer Gondel. Felsen und Wälder, Hügel und Felder waren mit ein paar Schritten zu erreichen. Stimmen und Düfte waren immer da. Und die Straßen der Stadt glichen Gartenwegen, so weich und reinlich sahen sie aus. Weiße, nette Häuser guckten schelmisch aus grünen Gärten hervor ... Ging man, so spazierte man wie im Himmel, denn man sah überall blauen Himmel. [...] Und die Tannen, die so wundervoll nach würziger Kraft duften. Werde ich nie wieder eine Bergtanne sehen? Das wäre übrigens kein Unglück. Etwas entbehren: das hat auch Duft und Kraft." (19)

der Anlage sind ganz farblos. Die Blätter hängen unnatürlich bleiern herunter. Es ist, als wenn hier manchmal alles aus Blech und dünnem Eisen sei" (19). Aber dies ist, wie alles, Jakobs Perspektive, hier noch vergangenheitsorientiert. Im Institut wird Natur selbst erstickt (sie gehört zur Vergangenheit, die verboten und unerreichbar ist), emblematisch eingeschränkt:

„Hinter unserem Haus liegt ein alter, verwahrloster Garten. Wenn ich ihn morgens früh vom Bureaufenster aus sehe [...], tut er mir leid, daß er so unbesorgt daliegen muß, und ich hätte jedesmal Lust, hinunterzugehen und ihn zu pflegen. Das sind übrigens Sentimentalitäten. Mag der Teufel die irreführenden Weichseligkeiten holen. Es gibt bei uns im Institut Benjamenta noch ganz andere Gärten. In den wirklichen Garten zu gehen, ist verboten. Kein Zögling darf ihn betreten, warum eigentlich, weiß ich nicht. Aber wie gesagt, wir haben einen andern, vielleicht schöneren Garten als der tatsächliche ist. In unserem Lehrbuch: ‚Was bezweckt die Knabenschule' heißt es auf Seite acht: ‚Das gute Betragen ist ein blühender Garten.' – Also in solchen, in geistigen und empfindlichen Gärten, dürfen wir Schüler herumspringen." (79)

Das Institut

Im vierten Abschnitt berichtet Jakob von seiner Aufnahme ins Institut. In einem „großstädtischen Hinterhaus" (9) gelegen, über ein Treppenhaus erreichbar, dessen „Ärmlichkeit" dem Ankömmling auffällt, macht das Institut einen im Grunde musealen Eindruck.

„Es scheint, daß das Institut Benjamenta früher mehr Ruf und Zuspruch genossen hat. An einer der vier Wände unseres Schulzimmers hängt eine große Photographie, auf der man die Abbildungen einer ganzen Anzahl Knaben eines früheren Schuljahrganges sehen kann. Unser Schulzimmer ist im übrigen sehr trocken ausstaffiert. Außer dem länglichen Tisch, einigen zehn bis zwölf Stühlen, einem großen Wandschrank, einem kleineren Nebentisch, einem kleineren zweiten Schrank, einem alten Reisekoffer und ein paar anderen geringfügigen Gegenständen enthält es kein Möbel. Über der Türe, die in die geheimnisvolle Welt der inneren Gemächer führt, hängt als Wandschmuck ein ziemlich langweiliger Schutzmannssäbel mit dito quer darüber gelegtem Futteral. Darüber thront der Helm. Diese Dekoration mutet wie eine Zeichnung oder wie ein zierlicher Beweis der Vorschriften an, die hier gelten." (32)

Trockene, genaue Detailschilderung einzelner Objekte auf der einen Seite, auf der anderen Schlußfolgerungen daraus auf einen geschichtlich gewordenen Zustand, vor allem aber: eine Tendenz zum Verfall des Ganzen wird schon aus der Summe seiner isolierten Einzelheiten erkannt. Jakob interpretiert; er unterwirft sich den Fakten seiner Umwelt nicht, sondern sucht sich deutend in ihnen zurechtzufinden. Ein Detail aber wird so gedeutet, daß der an sich rationale Vorgang für Jakob einen Durchstieg ins Ungewisse erhält: Nur in seinem Bewußtsein ist eine „geheimnisvolle Welt der innern Gemächer" vorhanden, als kleinbürgerlich eingefärbtes *Bild* der nach der Vertreibung geschlossenen Paradiesespforte der Wanddekoration abgelesen.[11]

---

[11] Vgl. dazu S. 18: „Es gibt hier 'innere Gemächer'. Ich bin bis heute noch nie dort gewesen. Kraus wohl, den man bevorzugt [...]. Aber vielleicht dringe ich doch noch einmal in diese inneren Gemächer. Und was werden dann meine Augen erblicken? Vielleicht gar nichts besonderes? O doch, doch. Ich weiß es, es gibt hier irgendwo wunderbare Dinge."

„Vorschriften", „die hier gelten", bedeuten den Sinn des Instituts für die, die als Schüler in ihm leben. In einem Punkt gleichen sich die Schüler alle, „nämlich in der vollkommenen Armut und Abhängigkeit" (5). Sie „tragen Uniformen" (6) – bezeichnenderweise analysiert Jakob diesen Sachverhalt gleichzeitig unter einer doppelten Perspektive; als Möglichkeit der Betrachtung von außen („Wir sehen *wie* unfreie Leute aus"), die ergänzt und mindestens tendenziell widerlegt wird vom uneingeschränkten subjektiven Urteil Jakobs, der die äußere, scheinbar objektive Perspektive durch sein ästhetisches Urteil („aber wir sehen auch hübsch darin aus", 6) überbietet.

„Der Unterricht, den wir genießen, besteht hauptsächlich darin, uns Geduld und Gehorsam einzuprägen [...]" (5). Sie erhalten „fast gar keine Aufgaben" (6). „Wir lernen die Vorschriften, die hier herrschen, auswendig. Oder wir lesen in dem Buch ‚Was bezweckt Benjamentas Knabenschule?' [...] Es gibt nur eine einzige Stunde, und die wiederholt sich immer. ‚Wie hat sich der Knabe zu benehmen?' Um diese Frage dreht sich im Grunde genommen der ganze Unterricht. Kenntnisse werden uns keine beigebracht" (6). Kein Wunder, daß Jakob sich selbst als „gut dressiert" (16), Frl. Benjamenta – die einzige Lehrerin – als die Schüler beherrschend (7) und Herrn Benjamenta als „Lenker und Gebieter" (15) von „winzigen, unbedeutenden Geschöpfen" apostrophiert. Mitschüler Kraus, der nicht ohne ironische Distanz als vorbildlich[12] erscheint, will „der richtige Diener eines Herrn werden" (28). Die Schule für Diener produziert ein „Nichts" (77), dem eigentlich Lebenshoffnungen gar nicht zustehen (87); wenn, dann nur als zur totalen Abhängigkeit Geformtem, dessen Ich ausgelöscht wurde, bei dem für Jakob die ganze „Natur", seine „schöne Seele" mit seinem Dienen identisch sind. Als „ein *Bild,* ganz, ganz eintönigen, einsilbigen und eindeutigen Wesens" (77 f.), als ein „festes, gutes Ganzes" nennt Jakob „gerade ihn eine menschliche Bildung" (75). Bruchstücke von Erinnerung evozierend, travestiert diese Sprache durch die Vorstellung Jakobs hindurch *den* Roman der klassischen deutschen Bildungsidee, ‚Wilhelm Meisters Lehrjahre'. Die Grundvorstellung des seine Anlagen durch allseitige Tätigkeit stufenweise in die – bürgerliche – Welt und Gesellschaft hinein, bis zur bewußt gewordenen Kongruenz von Innen- und Außenwelt entwickelnden, vernunftbegabten Individuums wird hinter der Gegenwart des Instituts nur noch wie zufällig – und, das ist wichtig, ausschließlich dem 'gebildeten' Leser! – sichtbar.

In *Jakobs* Reflexionshorizont wird die historische Differenz nicht bewußt; ihm wird nicht ausdrücklich zum Problem, was der Autor Walser dem Leser andeutet. Er durchschaut den bloßen Hülsencharakter seiner Kategorie „Bildung" nicht; in der vermeintlichen Unmittelbarkeit seines Urteils genügt er sich.[13]

In einer zentralen Passage seines Tagebuchs versucht sich Jakob Rechenschaft über Form und Inhalt des Unterrichts im Institut sowie deren Sinn für seinen immer wieder betonten Vorsatz der Selbstfindung und Selbsterziehung zu geben:

„Unser Unterricht besteht aus zwei Teilen, einem theoretischen und einem praktischen Teil. Aber beide Abteilungen muten mich auch heute noch wie ein Traum, wie ein sinnloses und zugleich sehr

---

[12] Vgl. 25, 29 f., 75 f.

[13] „Das nenne ich Bildung" (75).

sinnreiches Märchen an. Auswendiglernen, das ist eine unserer Hauptaufgaben. [...] Einer der Grundsätze unserer Schule lautet: ‚Wenig, aber gründlich.' [...] Wenig lernen! Immer wieder dasselbe! Nach und nach fange auch ich an, zu begreifen, was für eine große Welt hinter diesen Worten verborgen ist. Etwas sich in der Tat fest, fest einprägen, für immer! Ich sehe ein, wie wichtig, vor allen Dingen, wie gut und wie würdig das ist. Der praktische oder körperliche Teil unseres Unterrichts ist eine Art fortwährend wiederholtes Turnen oder Tanzen [...] Der Gruß, das Eintreten in eine Stube, das Benehmen gegenüber Frauen oder ähnliches wird geübt, und zwar sehr langfädig, oft langweilig, aber auch hier, wie ich jetzt merke und empfinde, steckt ein tiefverborgener Sinn. Uns Zöglinge will man bilden und formen, wie ich merke, nicht mit Wissenschaften vollpfropfen. Man zieht uns, indem man uns zwingt, die Beschaffenheit unserer eigenen Seele und unseres eigenen Körpers genau kennenzulernen. Man gibt uns deutlich zu verstehen, daß allein schon der Zwang und die Entbehrungen bilden, und daß in einer ganz einfachen, gleichsam dummen Übung mehr Segen und mehr wahrhaftige Kenntnisse enthalten sind, als im Erlernen von vielerlei Begriffen und Bedeutungen. Wir erfassen eines ums andere, und haben wir etwas erfaßt, so besitzt es uns quasi. Nicht wir besitzen es, sondern im Gegenteil, was wir scheinbar zu unserem Besitz gemacht haben, herrscht dann über uns. [...] klein sollen wir sein und wissen sollen wir es, genau wissen, daß wir nichts Großes sind. [...] die Kleinheit und Not, in der wir uns befinden, veranlassen uns, fest an die paar Errungenschaften, die wir gemacht haben, zu glauben." (59 ff.)

Beschrieben wird ein radikaler Selbstentfremdungsprozeß. Die Repetition des immer Gleichen ist ein rein formaler Akt der Dressur; im theoretischen Teil wird eine differenzierte Vernunft der vielerlei Begriffe und Deutungen verdrängt durch eine inhaltlich nicht begründete, „ganz einfache" und „gleichsam dumme" Übung. Ein *Sinn* des Ganzen wird nicht genannt; quasi rituelle, festgelegte Verhaltensformen („eine Art fortwährend wiederholtes Tanzen oder Turnen") reduzieren das Subjekt, bis es zum bloßen Objekt der abstrakten „unerbittlichen Vorschriften" wird. Das Erschreckende daran ist: Das Bewußtsein, dem dies geschieht, produziert im Prozeß dieser Selbstentfremdung einen perversen Sinn des Geschehens für sich, indem es fortschreitendes Einverständnis damit entwickelt. „Nach und nach fange auch ich an, zu begreifen [...]" Die totale Anpassung an Gesetze und Gebote wird über das Bewußtsein unaufhebbarer Abhängigkeit verinnerlicht bis zum Glauben „an die paar Errungenschaften, die wir gemacht haben". Jakob, der Tagebuchautor, geht dennoch nicht einfach im Kollektiv der Eleven, der „zu einem fortwährenden Gehorsam verpflichtete[n] Zwerge" (60) auf: Der Unterricht mutet ihn „auch heute noch wie ein Traum, wie ein sinnloses und zugleich sehr sinnreiches Märchen an" (59). Im Abstand des Erzählers von Vergangenem wird erkennbar, wie er es verarbeitet hat: er verfällt der inneren Logik des Vorgangs nicht, obwohl er von ihr mitbetroffen ist. Die Ambivalenz von sinnlos und sinnvoll, die Kennzeichnung seiner Erfahrung als traumartig belegen, daß er seine eigene Erfahrung sich selbst nicht restlos zu vermitteln weiß, daß seine Perspektive über die scheinbare Unmittelbarkeit dieser Erfahrung hinausreicht. Er identifiziert sich auch nicht mit dem Erwartungshorizont der Mitschüler: „Die Schule Benjamenta ist das Vorzimmer zu den Wohnräumen und Prunksälen des ausgedehnten Lebens" (61). Daß er „ein wenig erhaben über alles das" (61) ist, ist richtig, auch wenn er in einer dialektischen Volte („um so besser tun mir auch alle diese Eindrücke", 61), sich selbst wieder in ironischer Distanz unter die Benjamentas, seine „lieben Leitsterne" (61) einordnet. Der Spielcharakter dieses bewußten Wiederaufhebens der Distanz des Erkennenden bleibt dem Leser deutlich, weil der Tagebuchautor die Ironie gerade einsetzt, um seine Reintegration in den Horizont des Instituts zu erreichen. Das bewußt eingesetzte Stilmittel verrät, daß der Autor sich nicht als Subjekt, sondern als Teil des Instituts kritisch gegenübersteht.

Reflektierte Rolle

Jakob ist von Beginn an der Fremde, der Ankömmling, der sich zurechtfinden, eine neue Umwelt erfahren und sich durch Analyse und Interpretation zu eigen machen muß. Seine zentrale Intention der Selbstfindung und Selbstaneignung [14] ist nur möglich im Rahmen dieses Instituts Benjamenta, in spezifischer Abhängigkeit von der Art und Weise, wie er in seiner Bewußtseinsstruktur und in seinem Bewußtseinsinhalt sich von der Ausgangssituation fortschreitend verwandelt.

Dem Charakter der Ausgangssituation entsprechend berichtet Jakob über Vergangenheit und Gegenwart wie von einer Galerie isolierter, ihm begegnender Einzelobjekte, die addiert werden [15], und in Form von Geschichten, die sich ereignet haben.[16] Dauernder Wechsel der Perspektive zwischen erzählter Vergangenheit und Gegenwart des Erzählers läßt den Leser nie zu einer abgeschlossenen Erkenntnis kommen; umso nachdrücklicher prägt sich der Vorgang dieses komplexen Erzählens ein. Der Tagebuchautor als Erzähler ist immer anwesend, er kommentiert sich und seine Geschichte(n) fortwährend selbst, so daß, bei genauer Betrachtung, der Kommentar als Vermutung und Erwartung, zuweilen zur scheinbar unumstößlichen Sentenz verfestigt, den 'konkreten' Anlaß überwuchert und die 'reale' Welt sich phantastisch in Jakobs Gedankenwelt fortsetzt, dabei unmittelbare Gegenwart des reinen Bewußtseinsvorgangs gewinnend, bis der Tagebuchschreiber zu seiner durch die Rolle des Erzählens gegebenen Distanz zu seiner Innenwelt zurückfindet, indem er sich auch noch sein Gedankenleben bewußt macht.[17]

Seine über das Institut und dessen Menschen hinausreichende Beziehung zur Außenwelt wird im Verlauf des Textes immer mehr eingeschränkt. Besuche beim Friseur (19), im Warenhaus (21) und Papierladen (23), seine Spaziergänge (22) etc. erscheinen nicht

---

[14] Vgl. S. 65: „Selbsterziehungspläne".

[15] So über seine Mitschüler, deren Porträts sich, in relativ gleichförmigem Wechsel mit Abschnitten, in denen er – mit „wir" oder „ich" beginnend – sich selbst darstellt, aneinanderreihen, bis sie als geschlossene Erzähleinheit sich aufzulösen beginnen anläßlich der immer wieder begegnenden Figuren Kraus, Frl. und Herr Benjamenta. Vgl. Abschnitt 3: Heinrich; 5: Schacht; 7: Herr Benjamenta; 11: Schilinski; 15: Kraus; 19: Hans; 21: Fuchs – Herr Benjamenta.

[16] Vgl. S. 23 ff. (Bordellbesuch), S. 46 („ich habe meine Uhr verkauft [...]")

[17] „Der jüngste und kleinste unter uns Zöglingen ist Heinrich. Man ist diesem jungen Menschen gegenüber unwillkürlich zärtlich gesinnt, ohne dabei etwas zu denken. [...] Heinrich ist noch ganz Kind, aber er spricht und benimmt sich schon wie ein erwachsener Mensch von guter Führung. Seine Stimme ist so dünn wie zartes Vogelgezwitscher. [...] Gewiß hat er noch nie über das Leben nachgedacht, und wozu? Er ist sehr artig, dienstfertig und höflich, aber ohne Bewußtsein. Ja, er ist wie ein Vogel. [...] Wer weiß, ob ich recht habe! Aber ich stelle jedenfalls sehr, sehr gern solche Beobachtungen an" (7 ff.).

mehr. Der Bereich der ursprünglich freien Natur[18] wird für das Subjekt reduziert auf die Möglichkeit des Blicks in den „Hof", der verlassen daliegt „wie eine viereckige Ewigkeit" (67). Daß „die Großstadt erzieht, sie bildet, und zwar durch Beispiele, nicht durch trockene, den Büchern entnommene Lehrsätze" (43), ist nur scheinbar ein Beweis dafür, daß einmal ein Durchbruch in eine Freiheit jenseits der Mauern des Instituts gelingt. „Das ist sehr dichterisch" (44): damit umkleidet Jakob die andere Möglichkeit der „Bildung", wie er das Geschehen mit sich selbst umschreibt, mit der Aura des Phantastischen. Als Gegenbild aber konserviert die poetische Phantasie, indem sie im Tagebuch sich niederschlägt, die Idee möglicher anderer Existenz.

Daß Jakob hier, gemessen an der Realität des Instituts für ihn, *nur* Bilder einer perspektivisch verformten, desintegrierten, bloß mit ästhetischen Kategorien begreifbaren 'Welt' meint, hat eine eindrucksvolle Tagebucheintragung vorher gezeigt:

„Oft gehe ich auf die Straße, und da meine ich, in einem ganz wild anmutenden Märchen zu leben. Welch ein Geschiebe und Gedränge, welch ein Rasseln und Prasseln! Welch ein Geschrei, Gestampf, Gesurr und Gesumme! Und alles so eng zusammengepfercht. Dicht neben den Rädern der Wagen gehen die Menschen, die Kinder, Mädchen, Männer und elegante Frauen; Greise und Krüppel, und solche, die den Kopf verbunden haben, sieht man in der Menge. Und immer neue Züge von Menschen und Fuhrwerken. Die Wagen der elektrischen Trambahn sehen wie figurenvoll-gepfropfte Schachteln aus. Die Omnibusse humpeln wie große, ungeschlachte Käfer vorüber. Dann sind Wagen da, die wie fahrende Aussichtstürme aussehen. Menschen sitzen auf den hocherhobenen Sitzplätzen und fahren allem, was unten geht, springt und läuft, über den Kopf weg. In die vorhandenen Mengen schieben sich neue, und es geht, kommt, erscheint und verläuft sich in einem fort. Pferde trampeln. [...] Und die Sonne blitzt noch auf dem allem. Dem einen beglänzt sie die Nase, dem andern die Fußspitze. Spitzen treten an Röcken zum glitzernden und sinnverwirrenden Vorschein. Hündchen fahren in Wagen, auf dem Schoß alter, vornehmer Frauen, spazieren. Brüste prallen einem entgegen, in Kleider und Fassonen eingepreßte, weibliche Brüste. Und dann sind wieder die dummen vielen Zigarren in den vielen Schlitzen von männlichen Mundteilen. Und ungeahnte Straßen denkt man sich, unsichtbare neue und ebenso sehr menschenwimmelnde Gegenden. [...] Was ist man eigentlich in dieser Flut, in diesem bunten, nicht endenwollenden Strom von Menschen? [...] Man möchte sich jemandem an den Hals werfen." (34 ff.)

Phonetische Assoziationen, Alliteration, Assonanzen am Anfang: Stilmittel lyrischer Sprache, in denen die Welt auf der Straße dem beobachtenden Subjekt als sinnliches Ereignis widerfährt. Bewegung, unübersehbare, in denen die Einzelmenschen zu Gattungswesen zusammenfließen, weil die Beobachtung sie nicht festhalten kann; die Diskontinuität *zufälliger* Erfahrung kennt nur isolierte Einzelbilder und Häufungen („Menge", „Flut"). Die Bewegung wird als Wiederholung nicht unterscheidbarer Partikel erlebt. Wo sie unterschieden werden, isolieren sie sich, bis der groteske Vorgang beziehungslos sich bewegender, unkontrollierter Objekte dem Beobachter als scheinbare Realität wie selbständig entgegentritt; wie Bilder eines Films ihre Dreidimensionalität verlieren und plötzlich nur noch als Konturen auf einem planen Hintergrund ohne räumliche Tiefe erscheinen („Menschen sitzen [...]"). Scharf treten schließlich nur Teile 'realistischer'

---

[18] Vgl. S. 18 f.

Realität, konkreter Objekte hervor: Brüste, Zigarren.[19] Sinnvoller, verstehbarer Zusammenhang ist ersetzt durch Addition einzelner Blicke, von Bildchen auf der Netzhaut. Bruchlos läßt sich auch diese innere Reflexion von Bildern nur noch scheinbarer Realität 'weiterdenken', „ungeahnte Straßen" lassen sich an *so* gesehene anschließen.[20]

Die grundlegende, Ich und Welt einander entfremdende reflektierte Position des isolierten Subjekts ist in den Zusammenhang des Instituts so wenig integrierbar wie es in der bürgerlichen Welt verbleibt, aus der einzig Jakobs Bruder Johann[21] wie ein Leitfossil vergangener Zeit hervorragt.

Das anfängliche Mißtrauen (9), Reize des Verbotenen (11 f.) [ganz im Gegensatz zum Musterschüler Kraus], der aus Verletzung von Geboten gezogene Lustgewinn (25) und die damit verbundene Sucht Jakobs, sich selbst zu bestätigen – das verdeutlicht bis weit in das Tagebuch hinein, daß Jakobs Erziehung, seine Anpassung an die ausdrücklichen Ziele des Instituts, ja sein vorgebliches Wissen, er werde „eine reizende, kugelrunde Null im späteren Leben sein" (6)[22], nicht vollständig gelingen, ihn zu einer höchst zwiespältigen Figur machen. Eine „kleine, aber sehr heftige Szene" (15) zu Beginn seines Aufenthalts bei den Benjamentas interpretiert er nachträglich als „Versuch, Revolution zu machen" (17) – an bezeichnender Stelle wird dieser Terminus im vorletzten Absatz des Tagebuchs wieder aufgegriffen. Die charakteristische Doppeldeutigkeit seines Wollens drückt er in seinem Lebenslauf *bewußt* aus: der absolute Wille, niedrig zu sein, zu dienen, wird mit äußerstem Hochmut verbunden; die Form, in der er sich anpreist, widerlegt den Inhalt, daß er sich unterwerfen will.[23]

Als Außenseiter, der seine neue Welt zu entdecken hat, entdeckt Jakob Identität und Differenz zugleich: „Ein Eleve des Instituts Benjamenta, was, was kann ein solcher wissen? Aber ich forsche wenigstens immer" (42). Die Erwartung, daß „ein Geheimnis hinter all diesen Nichtigkeiten und Lächerlichkeiten" (7) stecke, verhindert von Anbeginn die bruch- und reflexionslose Assimilation an das Institut, die soziale Mimikry. Jakobs „Wunsch, Erfahrungen zu machen, wächst" nicht vermittelt durch die zu erlernende

---

19 Die Nähe dieses Stückes zu späteren „expressionistischen" Texten von Heym, van Hoddis u.a. in der perspektivischen Deformation der 'Wirklichkeit' erstaunt – Walser verdiente unter dem Aspekt dieser Nachbarschaft eine besondere Untersuchung.

20 Man darf nicht übersehen, daß, was so entsteht, Literatur ist – gerade hier, wo sie, als Tagebuch, produziert wird. Märchenhaft, phantastisch, als literarische Unwirklichkeit erscheint die 'Realität' nicht schlechthin, sondern als Funktion eines spezifischen Beobachtungsprozesses, dem, gerade weil das isolierte Subjekt in ihm sich zu sich selbst bekennt, die Welt entfremdet erscheint – und mit ihr das Subjekt schließlich, wie eine Traumfigur in einer traumhaften Welt.

21 Vgl. S. 50, 61 ff., 86 f., 91 f.

22 Vgl. S. 50: „Solch ein Zögling ist eine gute runde Null" – die Zukunftsperspektive hat sich auf die Gegenwart verkürzt.

23 „Er hofft, daß er modern, einigermaßen geschickt zu Dienstleistungen und nicht ganz dumm und unbrauchbar ist, aber er lügt, er hofft das nicht nur, sondern er behauptet und weiß es [...] er ist überzeugt, daß man mit ihm und dem, was er leistet, zufrieden sein wird. Dieser feste Glaube gibt ihm den Mut, der zu sein, der er ist" (48, 49). Die Distanz der 3. Person unterstreicht die Absicht!

Rolle des Kleinen, Niedrigen, des Dieners, sondern durch die Leiter des Instituts „zu einer herrischen Leidenschaft heran" (42)[24]: „Ja, dieser Mensch hat es mir angetan, er interessiert mich. Auch die Lehrerin erweckt mein höchstes Interesse" (42).

In noch stärkerem Maße als der seiner selbst Unsichere sich von den Autoritätsfiguren seiner Vergangenheit (dem Vater vor allem) angewandt hat, bindet er sich innerlich auf eine komplizierte Weise an neue. Die Entwicklung dieses Verhältnisses hilft ebenfalls, den Text zu strukturieren. Der Beobachtende, Distanzierte wird zum Objekt einer sich hinter der Tagebuchfolie vollziehenden Handlung. Etwa in der Mitte des Textes kann man den langsam sich vollziehenden Umschlag an Jakobs Reaktion bemerken: „Ich habe mit Herrn Benjamenta gesprochen, d. h. er hat mit mir gesprochen" (88). Er wird von den Benjamentas in ihr Schicksal hineingezogen; er wird bewegt im Rahmen eines Geschehens, das er nicht mehr selbst, und sei es durch die die Wirklichkeit ergänzende Phantasie und Reflexion, beherrscht. „Ich schreibe in fliegender Hast. Ich bebe am ganzen Körper" (135): Die unmittelbare Betroffenheit des Autors verrät, daß von Jakob unabhängige Wirklichkeit einer ganz neuen Qualität ihn überwältigt.

Frl. Benjamenta

Die „Schwester des Herrn Institutsvorstehers, Fräulein Lisa Benjamenta" (7), „eine junge Dame", „unterrichtet und beherrscht [...] an Stelle der Lehrer"[25] die Zöglinge. Neben den Erinnerungen an die „Mama" taucht nur beim Bordellbesuch kurz eine weibliche Figur deutlich auf. Die Lehrerin wird von Jakob, angeschlossen an ihren äußeren Eindruck, so stilisiert, daß sie für ihn den Charakter eines konkrekten menschlichen Wesens nahezu verliert. „Wie ein Engel sieht das Fräulein aus, wenn sie uns gute Nacht sagt. Wie verehre ich sie!" (32). Ihre Beschreibung leitet er mit der Bemerkung ein, sie mute ihn „wie ein Geist" (68) an, sie ist „unser höheres Wesen" (69). In die Beschreibung hineinverflochten interpretiert Jakob sie, ihr Äußeres wird für ihn zum Spiegel seelischer Verfassung.[26] Untrennbar ist das von der Selbstbespiegelung des Interpreten, abhängig von der banalen Schlußfolgerung, daß Weinen, „mitten in der Schulstunde" (47, 69), einen heftigen Kummer anzeige. Dem Suchenden, der überall Geheimnisse wittert, wird sie interessant als interpretierbare Gestalt, als Trägerin abstrakter Geheimnisse – nicht als Mensch, als Frau. „Zu zaubern, zu verführen" (95) erlaubt ihr Jakob nur in der alle-

---

[24] „Ich schätze nur Erfahrungen, und die sind in der Regel von allem Denken und Vergleichen vollkommen unabhängig" (85): Ob Jakob mit dieser denkend begründeten Distanzierung von der Reflexion sich wirklich erfaßt hat – zumal der Satz inhaltlich Unsinn ist –, sollte man bezweifeln.

[25] Der Leser übersieht an dieser frühen Textstelle die für das Institut bezeichnende Feststellung Jakobs, daß die Lehrer „aus irgendwelchen sonderbaren Gründen tatsächlich totähnlich daliegen und schlummern" (7). *Diese* unerklärte Realität vermischt sich später – traumhaft – mit den Erinnerungen an die früheren Lehrer Jakobs (54 ff.), *weil* Jakob sie zu erklären versucht.

[26] „Wenn man Fräulein Benjamentas Wangen ansieht, vergeht einem die Lust weiterzuleben, denn man hat das Gefühl, als müsse das Leben ein Höllengewimmel voller schnöder Roheiten sein" (68).

gorischen Katabasis in die „inneren Gemächer" (94), bei der sie als Psychagogin ihm scheinbar „eine bisher verborgen gewesene Welt" (94) zeigt. Was den Leser zuerst *die* zentrale Erfahrung Jakobs dünkt, ein – bildlich – Tiefenerkenntnis vermittelnder Gang durch Jakobs allegorisch vorweggenommenes Leben zwischen Freude und Trübnis, Notwendigkeit und Freiheit, Entsagung und Genuß, endend in „Zweifel und Unruhe" (98), prägt Jakobs Leben nicht – ebenso wie er in seinem konkreten Verhalten gegenüber Frl. Benjamenta als tote Wand erscheint, der sie ihre Probleme klagt: „ich sterbe, weil ich keine Liebe gefunden habe" (139). Ihre frühere Frage, direkt an ihn gerichtet: „hast du mich ein wenig lieb?" (115), beantwortet er mit respektvoller Haltung (115). Ihm, der sie in ihrer Verschiedenheit sehen wollte (93), ist ihr privates, seelisches Leben „etwas [...] Unverständliches" (93), wo es sich ihm gegenüber unvermittelt ausspricht, Ansprüche stellt und er es sich nicht bloß denkend vorstellt: Vorstellungen, deren Herr er nur wegen ihrer Unverbindlichkeit und Folgenlosigkeit uneingeschränkt bleiben kann.

„Die innern Gemächer! Und ich dachte mir immer, Fräulein Benjamenta sei die Herrin dieser inneren Gemächer. Ich habe sie mir immer als zarte Prinzessin gedacht. Und jetzt? Fräulein Benjamenta ist ein leidender, feiner weiblicher Mensch. Keine Prinzessin. Sie wird also eines Tages da drinnen im Bett liegen. Der Mund wird starr sein, und um die leblose Stirne werden sich die Haare trügerisch kräuseln. Doch wozu sich das ausmalen?" (140)

Wichtig ist Jakob bis zuletzt, was er sich *gedacht* hat, nicht die unübersehbare Wirklichkeit des 'leidenden Menschen'. Ist dies der Weg oder gar schon ein Ergebnis seiner „Selbsterziehungspläne" (65)?

Benjamenta

Auch der Institutsleiter erscheint Jakob aus der Perspektive des Zöglings, als „Riese" (15), überhöht zum „Herkules" (15). Den „Herrscherähnlichen" (40) findet er „geradezu schön" (41) – um sich mitten im Satz zu unterbrechen und den eigentlichen Grund seiner zunächst ins Ästhetische projizierten Faszination zu nennen:

„Nein, am Herrn Vorsteher ist nichts schön, nichts herrlich, aber man ahnt hinter diesem Menschen schwere Schicksalsschläge und -wege, und dieses Menschliche ist es, dieses beinahe Göttliche ist es, was ihn schön macht. [...]Herrn Benjamentas Gesicht und Hand ... haben Ähnlichkeit mit knorrigen Wurzeln, mit Wurzeln, die zu irgendeiner traurigen Stunde schon irgendwelchen unbarmherzigen Beilhieben haben widerstehen müssen. [...] Irgendwelche Ereignisse müssen auf diesen Charakter einen tiefen, vielleicht sogar vernichtenden Eindruck gemacht haben, aber was weiß man? [...] Aber ich forsche wenigstens immer." (42)

Die Faszination des scheinbar Unerklärten, zu Erklärenden, in der Vergangenheit verborgene Ursachen des als geheimnisvoll begegnenden Gegenwärtigen korrespondieren der einzig konstanten Intention Jakobs, eben dies Unerforschte sich aufzuhellen. Von Beginn an ist die Begegnung mit Benjamenta verbunden gewesen mit intensiven persönlichen Empfindungen. Dabei ist dies ebenso von Beginn an nichts rein Persönliches, sondern Konsequenz der Rollen, in denen der Zögling und der Institutsleiter einander gegenüberstehen. Jakob denkt im Rahmen des allgemeinen Erklärungszwanges, unter dem er steht, folgerichtig – wenigstens versuchsweise – zurück bis zu dem Punkt der Vergangenheit, an dem die Person Benjamenta mit der Rolle als „Lenker und Gebieter" (15) sich identifizierte: „An was hat eigentlich der Mann gedacht, als er sich entschloß, das Institut zu gründen?" (15). Denkend in den überlegenen Antagonisten einzudringen, durch Aneignung seines – hier erst *möglichen* – Gedankens in der Existenz des Instituts einen Sinn zu erkennen, der aus der Perspektive des zur Dressur bestimmten Schülers nicht zu sehen sein kann: dies bezeichnet den Punkt äußerster Distanz des Tagebuchautors zu dem nur oberflächlich als Umwelt dominierenden Bereich des Instituts. Der Sinn des Instituts ist für den, der wirklich nur klein, nichtig, Diener sein will, nicht hinterfragbar. Meint er einen anders bestimmten Sinn erkennen zu können, ja ist er nur in der Lage, ihn zu denken, so hat er tendenziell das Institut schon überwunden, wird er seinem Begründer ähnlich, indem er dessen Vergangenheit wiederholt. Das führt aber nicht zu einer Bestätigung dieses immer wieder von verschiedenartig distanzierter Position aus gebrochen-ironisch vorgeführten Institutsbereichs: Aufklärung ist auch Auflösung. Die aber gelingt Jakob nur auf eine Weise, die wieder in sich höchst dubios ist.

Verdeckt von der Auseinandersetzung mit der Umwelt, in der sich die Phantasie des Subjekts immer wieder unkontrollierbar von den Gegenständen ihrer Erfahrung emanzipiert, vollzieht sich auf dem Umweg über vorgeschobene Positionen, über die Emanationen der herrschenden Macht in den einzelnen untergeordneten Positionen und Funktionen des Instituts eine Auseinandersetzung zwischen Jakob und Benjamenta, ein Machtkampf, der die Dialektik von Herrschaft und Knechtschaft durchspielt.

Der anfängliche „Versuch, Revolution zu machen" (17), sich gegen Benjamenta durchzusetzen, scheitert. In der Distanz des Schreibenden zur beschriebenen Welt bleibt der Impuls des Widerstandes, gebunden an den der Erkenntnis, erhalten, auch wo der Zögling die Möglichkeit von Selbständigkeit und eigener Macht bewußt zu verneinen scheint.[27] Benjamenta selbst stellt Jakob gegenüber das Institut in Frage; *zugleich* leitet er von sich aus eine persönlich gefärbte Beziehung zu seinem Zögling ein (88–91). Er tritt als Person aus seiner Rolle heraus, gibt sich „eine Blöße" (89), die – als Angebot – den Zögling aus seiner Rolle befreien *kann*. „Es glich einem innerlichen Wettkampf" (89): Einvernehmen ist nicht unmittelbar da, sondern wird nur durch Erkenntnis erreicht, die das Machtmonopol des Vorstehers bricht, Jakob ihm gleichstellt.

Die Initiative geht vom Herrn, von Benjamenta aus, der – indem er sich als Mensch, nicht mehr in seiner Funktion darstellt – beginnt, das Institut von oben her in Frage zu stellen.[28] Daß Jakob die Frage nach dem Sinn des Instituts stellen konnte, zeigte, daß er nicht in seiner Dressur gefangen war. Daß er die Sinnfrage an die Person des Vorstehers knüpfte, orientiert sich an seiner Ausgangslage: dem Verlust der Vatergestalt. Was er schließlich, nach allem Suchen, an ihre Stelle setzt, ist eine neue Vatergestalt. Dem innerlich Unabhängigen, Suchenden, der sich sogar als Tagebuchschreiber noch von sich selbst distanzieren kann[29], tritt Benjamenta im entscheidenden Moment als das entgegen, was Jakob eigentlich gesucht hat, weil er es früh verlor: Autorität. Dabei findet

---

27 Vgl. S. 88.

28 „Ich weiß gar nicht, wie es hat kommen können, daß ich mich dir gegenüber so aller Vorgesetztengewalt entkleidet habe" (101).

29 Vgl. S. 44, 53 f., 78 f., 100, 105, 148 usw.

Jakob diesen Zugang nur, weil er Benjamenta zu zwingen scheint, sich innerlich an seinen Zögling auszuliefern: „es ist prickelnd reizvoll, sich dir gegenüber ein wenig schwach und weicher, als gewöhnlich, zu benehmen. Ja, du forderst geradezu heraus zu Fahrlässigkeiten, zur Lockerung, zur Preisgabe der Würde" (102). Jakobs Verweigerung der Rolle des Zöglings, die er durch seine Distanz, seinen Widerstand, seine Neugier kundtut, entspricht schließlich an einem Punkt geheimen Einverständnisses dem aus seiner, von Jakob immer ausschließlich gesehenen Rolle als Vorsteher heraustretenden Benjamenta. Benjamenta bittet Jakob: „Willst du mein Freund, mein kleiner Vertrauter sein?" (102). Die als Reiz empfundene Unterdrückung, ein autistisches Spiel, nachdem die Norm weitgehend verinnerlicht, der frühere Konflikt mit der Umwelt nicht mehr auszutragen ist, verkehrt sich für Jakob mühelos in den Reiz, überlegen zu sein: er behandelt ihn „eisig kalt" (101). Die frühere Machtstruktur kehrt sich scheinbar um, der 'Herr' macht sich vom Diener abhängig. Jakob spielt zwar, als wäre er jetzt der Herr, mit dem Wunsch Benjamentas, „daß wir zusammen leben [...] (154).[30] Nur dessen Verzicht auf seine Macht verdankt er aber seine scheinbare Freiheit. An die Stelle des Instituts tritt für Jakob Benjamenta selbst: mit der Aufgabe der Macht verliert dieser sich nicht, sondern gewinnt sich wieder und verlangt zugleich Jakob. Benjamenta orientiert sich nicht mehr an seiner Funktion im Institut, sondern an der „Welt":

„Ich möchte dir sogar anraten, ein wenig schlendrianisch, vergeßlich und gedankenträge zu werden. Denn siehst du, das, was man Untugenden nennt, das spielt im Leben des Menschen eine so große Rolle, das ist so wichtig, fast möchte ich sagen, notwendig. Wenn Untugenden und Fehler nicht wären, es würde der Welt an Wärme, Reiz und Reichtum fehlen. Die Hälfte der Welt, und vielleicht die im Grunde schönere, würde mit den Lässigkeiten und Schwächen dahinsterben." (122)

Der Herr widerruft; was als Erfolg des Zöglings aussehen mochte, ist es nur, weil der Herr es so wollte: Jakobs Perspektive wird radikal aufgehoben durch die überlegene Benjamentas; was Jakob Welteroberung scheinen mochte, sein Leben im Institut, war *Mittel* für Benjamenta. Sein „ich liebe zum ersten Mal einen Menschen" hat einen genauen Stellenwert. Seine Schwester stirbt im Institut, während er durch Jakob Leben gewinnt:

„Mit dir, du Gemüt von einem Jungen, ist frisches, ist überhaupt erst Leben über mich und in mich hineingekommen. Ich habe hier, siehst du, hier im Bureau, schon verzweifelt, bin hier schon ganz eingetrocknet, habe mich hier geradezu begraben. Ich haßte, haßte, haßte die Welt [...] Da tratest du ein, frisch, dumm, unartig, frech und blühend, duftend von unverdorbenen Empfindungen, und ganz natürlich schnauzte ich dich mächtig an, aber ich wußte es, sowie ich dich nur sah, daß du ein Prachtbursche seiest, mir, wie es mir vorkam, vom Himmel heruntergeflogen, von einem alleswissenden Gott mir gesandt und geschenkt. Ja, ich brauchte dich gerade [...]" (149)

Erziehung und Selbsterziehung, bisheriger Lebensinhalt Jakobs, erscheinen als sinnloses Strampeln der Marionette, sinnvoll nur noch für den, der einen Nutzen daraus zu zie-

---

[30] Das verborgene Lachen als Zeichen der Überlegenheit geht vom Vorsteher (7, 49) auf Jakob über (124, 134).

hen weiß: Herrn Benjamenta: „Ich [...] fange an, wieder ich selber zu sein" (153) – Jakob, der dies nie war, immer erst werden wollte, gewann sich selbst immer nur in der unaufgelösten Diskrepanz zum Institut. Wo auch das nicht mehr existiert, sich fortlaufend auflöst[31], der Vorsteher „keine Zöglinge mehr" (142) annimmt, endet Jakobs Welt. Er erhält keine Stellung; er, „eine Null" (157), bleibt angewiesen auf Abhängigkeit. Neben dem scheinbaren Spiel mit dem alten Herrn steht gleich die verinnerlichte Abhängigkeit, die unauflösliche personale Bindung – die äußerliche wird abgestreift, aber dafür tritt, viel fester, viel verpflichtender, die innere ein, die Jakob schon ahnt, bevor sie ihm angeboten wird: „manchmal ist mir, als wenn ich mich von diesem Mann, diesem Riesen, nicht trennen sollte, nie mehr, als ob wir beide in eines verschmolzen wären. Aber man irrt sich ja immer" (135). Und nur scheinbar bietet sich Jakob eine freie Entscheidung für oder gegen Benjamenta: „Übrigens weiß ich es ja, Jakob, daß wir zusammen leben werden. Es ist entschieden. Wozu dich noch fragen? Siehe, ich kenne doch meinen früheren Zögling" (153).

Was Zukunft für Jakob andeutet, sind die Auflösungserscheinungen des Instituts. Benjamenta ist Herr dieser Zukunft: als Wiederauferstehung *seiner* Vergangenheit, im bewußten Wollen eines tätigen Lebens, in bewußter Abkehr von der Gegenwart. Das Neue ist konsequentes Gegenbild der rein formalen, inhaltsleeren Existenz in den vom Institut geforderten Rollen – ein ebenso inhaltsleerer, irrationaler Tätigkeitsdrang, der sich auf eine Welt bezieht, von der sich konkret nichts sagen läßt.

Die regressive Utopie

Jakob geht mit Benjamenta. „Mir paßt dieser Mensch, und ich frage mich nicht mehr, warum. Ich fühle, daß das Leben Wallungen verlangt, nicht Überlegungen. [...] Mich bindet nichts [...]" (157). Mit dem Ausbruch in die irrationale Bejahung des fremden Lebens, der unbekannten Welt 'draußen', verbindet sich die Vorstellung des freien Lebens in der „Wüste", der „Wildnis" (157). Merkwürdig, daß man in der Forschung den Schlußsätzen des Tagebuchs so naiv auf den Leim gegangen ist. Jakob verläßt das Institut als der, der er werden wollte und als den er sich schon früh projektierte: „Ich einzelner Mensch bin nur eine Null" (157).[32] Er verwirft sein Schreiben, seine Selbstreflexion, seine Vergangenheit und sich als den, von dem er berichtet hat, zugunsten einer Art von erhofftem unmittelbarem Dasein, das an die Stelle des imperativisch Verworfenen treten soll:

„Aber weg jetzt mit der Feder! Weg jetzt mit dem Gedankenleben! Ich gehe mit Herrn Benjamenta in die Wüste. Will doch sehen, ob es sich in der Wildnis nicht auch leben, atmen, sein, aufrichtig Gutes wollen und tun und nachts schlafen und träumen läßt. Ach was. Jetzt will ich an gar nichts mehr denken." (158)

---

[31] Eleven treten aus, das Fräulein stirbt, Kraus geht (147 f.); Jakob selbst spürt den Auflösungsprozeß, Vorbereitung etwas Neuen: „noch bin ich im Institut" (124), es „sieht hier so aus, als wenn so etwas wie 'die Tage gezählt' wären" (133). Vgl. auch 121, 135, 138.

[32] Einst hatte es geheißen: „Aber das eine weiß ich bestimmt: Ich werde eine reizende, kugelrunde Null im späteren Leben sein" (6).

Selbst dort, wo die Zukunftserwartung inhaltlich zu füllen wäre, befiehlt der Denkende sich, nicht mehr zu denken. Wer dies als Aufbruch in die große Freiheit, womöglich als die kulturkritische Botschaft des Autors ansehen will, glaubt an Worte, die vom Duktus des ganzen Textes her auf ganz andere Weise festgelegt sind. „Der Kultur entrücken, Jakob. Weißt du, das ist famos" (156): in einem *Traum* Jakobs spricht der Vorsteher diese Worte. Träume sind immer wieder in Eintragungen des Zöglings aufgetaucht: von der Mutter (31), vom Reichtum (70 ff.), von sich selbst als schlechtem Menschen unter allegorischen Gestalten (82 ff.), von den inneren Gemächern (94 ff.). Als unmittelbare psychische Realität werden sie von Jakob erlebt: als er im Traum seine Mutter geschlagen hat, jagt ihn der Schmerz über die Scheußlichkeit seines Benehmens zum Bett heraus. Nachträglich kann man sich von ihnen distanzieren (72), aber „wie im Traum doch alles an die Grenze des Wahnsinns streift" (84), so kann auch das Leben selbst als Traum erscheinen („der Traum, den man menschliches Leben nennt" 107). Die phantastische Realität, die Jakob sich schuf, indem er seine Umwelt interpretierte, ergänzte und erweiterte, und ausdrücklich als Traum gekennzeichnete Partien haben für ihn keinen unterschiedlichen Realitätsgehalt. Der Traum von den inneren Gemächern (94 ff.) wird nicht ausdrücklich als solcher vorgeführt; der Versuch Benjamentas, ihn zu erwürgen, beeindruckt ihn so sehr, daß er für einen Augenblick den Unterschied von Traum und Wirklichkeit nicht mehr festhalten kann.

Was dem Leser und Jakob selber phantastisch erscheint, ist Produkt seines Denkens oder seiner Phantasie, die sich in dieser realitätsverzerrenden, realitätsbildenden Funktion nicht voneinander unterscheiden, weil beides für den Leser nicht an etwas 'Objektivem' meßbar ist.

Jakobs letzter Traum und seine letzten Worte gehören so zusammen. Neben der aufgebahrten Toten wachend, wird er „der Wirklichkeit entrückt" (154), von einem Traum überwältigt – mit ihm geschieht, was er sich erträumt[33]: „auf einer Bergmatte", „ganz dunkelsamtgrün", stellt sich im Traum für Jakob eine unmittelbare, unreflektierte Identität mit sich selber her, im Glücksgefühl („Wie war ich glücklich!"), das zurückgeht auf eine Natur, die nicht als Bild und als Realität auseinandergetreten ist[34], die selbst Form von Liebe angenommen, Liebesausdruck gewonnen hat, die ihm das gewünschte Liebesobjekt in absoluter Freiheit und Natürlichkeit darbietet.[35] Bezeichnend, daß die gerade hier, an ihrer Totenbahre, auftauchende Erinnerung an Frl. Benjamenta gewaltsam unterdrückt werden muß, daß der im Traum bewußt werdende Verzicht auf jede Deutung als „Trost" notwendig ist. Im Traum sieht er Benjamenta als Ritter „mit einer schimmernd schwarzen, edlen, ernsten Rüstung" (155). „Mitten in der Wüste" sind sie zusammen, Weltgegenden eilen vorbei. In Indien wird Benjamenta zum Fürsten erho-

---

[33] „[...] der Traum schoß von der Höhe, ich erinnere mich, gewaltsam, mich mit Strahlen überwerfend, auf mich nieder [...]" (154).

[34] „Und sie war mit Blumen wie mit blumenhaft gebildeten und geformten Küssen bestickt und besetzt. [...] Es war Natur und doch keine, Bildnis und Körper zugleich."

[35] „Ein wunderbar schönes Mädchen lag auf der Matte. [...] Das Mädchen war schwellend und glänzend nackt. An einem der schönen Beine hing ein Band, das im Wind, der das Ganze liebkoste, leise flatterte" (155).

ben. „So grauenhaft überspannt es ist: Tatsache war, daß wir in Indien Revolution machten" (156). Was Jakob gegenüber Benjamenta im Institut mißlang, erreicht der Traum, zusammen mit B., in einer 'der Kultur entrückten' Welt. Der Traum aber versetzt Benjamenta und mit ihm Jakob wieder zurück in die Metaphorik von König[36] und Diener, die der Vorsteher zuvor als bloßen Ausdruck seines Selbstgefühls erklärt hatte; die von Jakob im Bewußtsein, ein Nichts, eine Null zu sein, als Ausdruck seines Abhängigkeitsverhältnisses aufgebaut worden war. „Ich war immer der Knappe, und der Vorsteher war der Ritter" (157). So verewigt der Traum, der die Vorstellung der neu errungenen Freiheit vorweg deutet, für Jakob genau das Abhängigkeitsverhältnis, das er im Prozeß der Institutsauflösung im Verhältnis zu Benjamenta durchbrochen zu haben schien. Der Traum bringt den *Schein* von Freiheit, gebunden an die Unterwerfung unter den alten Herrn; ein *scheinbares* neues Leben in der ausdrücklichen Regression in eine vergangene phantastische Welt der Ritter und der Abenteuer.

Die Möglichkeit dieses Traums setzt bereits den Verzicht auf realitätsbezogene, kontrollierbare Reflexion voraus, radikalisiert zur alleinigen Verhaltensweise, was in Jakobs Tagebuch immer wieder als bloße Reflexion über die Beobachtung der Realität hinaus vorbereitet war – diese Realität damit implizit bestätigend. Der radikale Bruch mit der in die Vergangenheit gerückten Gegenwart des Instituts setzt an seine Stelle bloße Vorstellungen: Reproduktion des Wissens von vergangenen Zeiten, fremden Ländern – erhalten bleibt die *Rolle* des Untergebenen, der nur durch und für seinen Herrn etwas ist, der durch ihn 'befreit' wird, einen „ordentlichen Arbeitsposten" (156) erhält. Das Bewußtsein der Rolle aber, mithin mögliche Distanz zu ihr, geht mit dem ausdrücklichen Verzicht auf das „Gedankenleben" (157) verloren: die erstrebte Unmittelbarkeit des Lebens macht die neue Rolle, die die alte ist, zum ausschließlichen Lebensinhalt, von dem man sich nicht mehr distanzieren kann. Die Vorstellung befreit das Subjekt nicht mehr von den unmittelbaren Zwängen der Realität; wo es nur noch diese Vorstellung gibt, wird sie selbst zwanghaft ausschließlich.

Was Jakob erwartet, ist wenig; ist nichts, was sein Tagebuch nicht schon für sein Leben im Institut belegt hätte: „Will doch sehen, ob es sich in der Wildnis nicht auch [!] leben, atmen, sein, aufrichtig Gutes wollen und tun und nachts schlafen und träumen läßt" (158 f.). Das mögliche Tun ist gebunden an die Anerkennung des Herrn – doch selbst die allgemeinsten inhaltlichen Vorstellungen sind noch zu sehr *gedacht:* „Ach was. Jetzt will ich an gar nichts mehr denken" (158).

Daß Jakob und wie er inhaltlich vom neuen Leben mit Benjamenta träumt, sind nicht einmal seine eigenen Phantasien: Er nimmt nur auf, reproduziert – scheinbare Freiheit als totale Abhängigkeit auch des Inneren, der vermeintlich Realität herstellenden Traumphantasie erkennbar machend – was Benjamenta ihm vorgesagt hat: „Mit dir zusammen in Wüsten oder auf Eisbergen im nördlichen Meere zu leben, das würde mich lokken" (142). Wüste, Wildnis, Eisberge: das ist tote, lebensfeindliche, lebensleere Welt; Jakobs Erwartungen gehen inhaltlich nicht über das hinaus, was ihm immer schon möglich war: zu „sein". Aber er hat übernommen, verinnerlicht, was Ziel der Institutserziehung war: eine Null zu werden. So ist konsequent, daß Jakob bewußt (!) dem Denken

[36] Vgl. S. 102.

abschwört, sein „Gedankenleben" negiert: Bisher war er nur als der erschienen, der sich selbst in seinem Tagebuch in ständiger Auseinandersetzung mit einer unbegriffenen Umwelt erkannte. In der durch die Phantasie erzeugten bruchlosen Identität mit der neuen Rolle, die auf der schließlich doch erfolgreichen Dressur zur Rollenanpassung aufbaut, wird die Reflexion überflüssig. Mit der Absage an das Tagebuch, an die Selbstreflexion hebt Jakob den Unterschied von realer und phantastischer Welt auf – damit verschwindet er selbst. Die Intention der Selbstfindung setzt den Unterschied zur Außenwelt und die Erkenntnis der Differenz als Problem voraus: Jakob 'löst' sein Problem, indem er Ich und Welt zugunsten einer irrealen phantastischen Einheit aufhebt, in der sich, nun unreflektiert, die Macht- und Abhängigkeitsverhältnisse des Instituts fortsetzen. Die Verinnerung hat sie unangreifbar gemacht. Im bewußten Verzicht auf Denken, auf den Versuch der Selbsterkenntnis im Tagebuch macht Jakob sich zum Nichts, zur Null – neben der unmittelbar das Absolute eintreten soll: nicht bloß Benjamenta als Herr, gar Gott: „Gott wird mit mir sein. Was brauche ich da an ihn zu denken? Gott geht mit den Gedankenlosen" (158). In der Form der Sentenz spricht sich, vertrackt genug, eine Sicherheit aus, die aus dem Nicht-zu-Denkenden kommen soll: Was aber nicht gedacht werden soll, kann schließlich nicht ausgesprochen werden – die begriffslose Sicherheit des nicht mehr reflektierten metaphysischen Topos 'Gott' ist inhaltsleer, unbegreifbar. Der Gedankenlose wird sprachlos: 'Gott' ist nur noch eine Chiffre, eine für das Denken eintretende Leerformel, hinter der sich Alles und Nichts verbirgt.[37]

Die von Jakob in die Zukunft projizierte Vorstellung neuen Lebens bleibt gedachte, reine Möglichkeit; zusammengesetzt aus Erfahrungen zweiter Hand (Stichworte Benjamentas, Träume in die Vergangenheit exotischer Länder), soll sie eine unbegrenzte Freiheit erscheinen lassen, die einer Probe auf ihren Realitätsgehalt nicht mehr ausgesetzt ist. Jakobs Wunschvorstellung einer Einheit von Innen- und Außenwelt versucht die konkreten Erfahrungen seines bisherigen Lebens hinter sich zu lassen – und doch ist die Welt der Utopie nichts anderes als die Antwort auf die vom Subjekt erlebte Entfremdung von sich und der realen Welt. Einsichten über die gesellschaftlichen Bedingungen und Folgen dieses Zustands der Vereinzelung des Individuums, der Isolation seines Bewußtseins sind aus dem Text nicht direkt abstrahierbar, doch gerade dieser Zustand enthält eine vermittelte Aussage.

Auch die vor aller Absage ans Denken entworfene Gegen-Welt des phantastischen Scheins ist nicht konsistent. Die Kluft zwischen Schein und Wirklichkeit im Bereich des Instituts wird abgelöst von der inneren Widersprüchlichkeit des Scheins eines besseren Lebens. Im *Vor*schein des Neuen wird zugleich die Scheinhaftigkeit der vergangenheitsorientierten Utopie deutlich. Eine Selbst-Täuschung Jakobs erzeugt für den Leser eine Fiktion, die die Qualität des Ästhetischen im Schein des letzten Daseinsentwurfs nicht überschreitet. Die schöne Oberfläche ist des Teufels, um eine Formulierung Martin Walsers abzuwandeln.[38] Die Phänomene der vorgestellten Welt sind als bloß ästhetische, allein sprachlich-fiktive Evokation zugleich ideologisch regressiv: Mit der Absage an

[37] Vgl. dazu seine Erinnerung 37f.

[38] Walser, M.: Alleinstehender Dichter. Über Robert Walser. S. 151. In: Erfahrungen und Leseerfahrungen. (edition suhrkamp 109) Frankfurt 1965.

die Reflexion ist die an die Probleme der wirklichen Welt und des konkret erfahrenen Ich untrennbar verbunden. Das Leiden an den unlösbaren Problemen der Welt – auf den Erfahrungsstufen der Welt der Eltern und der bereits reduzierten des Instituts – geht zwar auf deren objektiven Zustand zurück[39], bleibt aber passiv; es vermittelt Erkenntnis, aber nur ästhetisch produktive. Nur das Bewußtsein Jakobs verändert sich, aber – rein reaktiv – fort von dieser Welt.

Der abbrechende Text gesteht indirekt ein, daß der Autor sich mit der Hauptgestalt nicht ganz identifizieren kann. Indem er die Brüchigkeit des vorausentworfenen scheinbaren, neuen Lebens durchsichtig gemacht hat, hilft er dem Leser, Jakob zu erkennen. Trauer über das unerreichbare Paradies des erfüllten Lebens, der Versöhnung von Ich und Welt entsteht über den Trümmern der Wirklichkeit, begleitet den Aufbruch Jakobs. Dem Leser bleibt: der Roman, ein Stück verstandener Literatur, das die Aufhebung der Realität in die Literatur durch Jakob vorführt.

Die Analyse der Romane sollte das Bild Walsers als eines reizvollen Feuilletonisten am Rande der Literaturgeschichte revidieren helfen. Mag sein, daß man das „Wesen des Feuilletonismus: die augenblickliche Wirkung in jedem Falle höher zu werten als Sachlichkeit, Wahrheit und Folge", verfehlt, wenn man die Oberfläche des Stils, das selbstgenügsame sprachliche Gebilde zugunsten der Struktur des Erzählens vernachlässigt, die hier identisch ist mit dem Vorgang der Selbstreflexion. In Frage steht, ob die Kritik seines Zeitgenossen Arthur Schnitzler am Feuilletonismus Robert Walser noch treffen kann:

> „Doch ist der Feuilletonismus ein selbstverräterisches Element, und wenn es auch dem Feuilletonisten zuweilen glückt, einen Roman oder ein Drama als täuschende Nachahmung eines Kunstwerks zu gestalten – an irgendeiner Stelle wird es offenbar, daß er zu der immanenten Idee seines eigenen Werkes nicht hinunterzusteigen vermochte, daß ihm das Verständnis und das Gefühl für das Wesentliche seines Stoffes abhanden kam oder wenigstens die Kraft, dieses Wesentliche festzuhalten. Dann rettet er sich in die fragwürdigen und wohlfeilen Reize des Nebensächlichen, behandelt dieses mit einer Art von verlegener Gewissenhaftigkeit, um sich auf solche Weise doch immer weiter und hoffnungsloser von dem geistigen Mittelpunkt des intendierten Werkes zu entfernen." [40]

Die Unausweichlichkeit der Romankonstruktion enthebt Walser *solcher* Kritik, auch wenn das, was der Leser begreift, sich zur Kritik an dieser Konstruktion wendet und eine gewisse Distanz zum Autor Walser notwendig einschließt.

---

[39] Vgl. dazu in diesem Heft den Aufsatz von Bernd Hüppauf: Zu Robert Walsers frühen Romanen. Dem Verf. danke ich für die Einsicht ins Manuskript.

[40] Zitate aus: Arthur Schnitzler, Aphorismen und Betrachtungen. Hrsg. von Robert O. Weiss. Frankfurt 1967, S. 115 (Nr. 65).

Dierk Rodewald

Sprechen als Doppelspiel

Überlegungen zu Robert Walsers Berner Prosa

I.

Bei dem Versuch, Robert Walsers Berner Prosa zu analysieren, stößt man auf große Schwierigkeiten; sie haben ihre Ursachen nicht nur in der Komplexität dieses Spätwerks, sondern auch darin, daß die Literaturwissenschaft erst mit großer Verzögerung auf Walser aufmerksam geworden ist. Von Wirkungsgeschichte und Forschungsgeschichte kann kaum die Rede sein. Diese Situation bedeutet für den Analytiker ein handicap; denn er könnte versucht sein, dieses Werk als quasi-zeitgenössisches anzusehen. Aber auch wenn er dieser Versuchung einigermaßen standhielte, befände er sich noch nicht in einer besseren Lage, da er Walsers Werk nicht in angemessener Weise literaturhistorisch lokalisieren kann. Die von vornherein gegebene grobe chronologische Einordnung bleibt irrelevant, weil sich zunächst nicht positiv bestimmen läßt, welchen Stellenwert diese Prosa in der Zeit hatte, in der sie produziert und großenteils auch publiziert wurde. Das wenige, das sich darüber sagen läßt, hilft zur Lösung der Frage kaum weiter, vermag aber das Problem zu verdeutlichen: Walser war vom Anfang seiner Schriftstellerlaufbahn an ein outsider, nicht nur unter dem Aspekt des Literaturbetriebs, sondern auch unter dem seiner schriftstellerischen Verfahrensweisen. Sein Werk muß bereits 'zu seiner Zeit' entlegen, untypisch, zeitfremd gewirkt haben. Das läßt sich zumindest aus den Äußerungen derer erschließen, die ihn zu jenem Wanderschaftspoeten zurechtstutzen wollten, der es noch versteht, auf herzhafte Weise in die freie Natur hinauszustiefeln, und obendrein auch holder Träumer ist. Da wurde allerdings nicht Literatur begriffen, sondern etwas ganz anderes, für das Literarisches gern zum Vorwand genommen wird. Man muß einräumen, daß Walser solchen Mißverständnissen kaum vorgebaut hat; dies gilt besonders für die Arbeiten seiner Bieler Zeit: zugunsten der Annahme einer heilen Welt konnte und kann leicht übersehen werden, daß Harmonisches und Idyllisches durch fragile Ironie, häufig auch nur durch eine zaghafte Tendenz zum Ironischen und Parodischen problematisch gemacht wurde. Es ist hier nicht der Ort, darzulegen, inwiefern Züge gerade der Bieler Prosa den Neuanfang in Bern ermöglicht haben. Wichtig bleibt, daß die Arbeiten seiner Bieler Zeit das Bild Walsers entscheidend bestimmt haben, obwohl auch von der Berner Prosa einiges zu lesen war, in dem Sammelband ‚Die Rose' und in vielen Zeitschriften und Zeitungen. Wer aber jenem projizierten Wanderschaftspoeten huldigte, konnte mit der Berner Prosa schlechterdings nichts anfangen, die dann wohl nur als 'zerfahren', 'bedenklich', 'ungesund' einzuschätzen war. Bei näherem Zusehen erweist sie sich als ein umfassendes literarisches Experiment, wie dies die Bieler

Prosa, in Gestalt eines rückwärts orientierten, fast gewaltsamen Rettungsversuchs, ebenfalls gewesen ist. Über den bis in die jüngste Zeit fortwirkenden Mißverständnissen[1] darf aber nicht vergessen werden, daß Walser von Anfang an auch andere Leser gehabt hat, wenige, aber wichtige, und zwar die vom Fach. Was die Literaturwissenschaft nicht zustandebrachte (sie konnte es auch wohl erst dann, nachdem durch die Stilkritik die Fixierung auf bloß Thematisches endgültig disqualifiziert worden war), gelang den Kollegen: Walsers Hervorbringungen als Literatur erst einmal ernstzunehmen. In einiger Zuspitzung ließe sich sogar sagen, daß Walser – wohl ohne dies zu beabsichtigen – ein Schriftsteller für Schriftsteller gewesen ist, im internen Produktionsbereich der Literatur. Man braucht nur an einige der in diesem Zusammenhang immer wieder genannten Namen zu erinnern: Franz Blei, Max Brod, Franz Kafka, Robert Musil, Hermann Hesse, Walter Benjamin. Viele Schriftsteller unserer Tage haben sich ebenfalls mit Walser auseinandergesetzt oder sich sogar auf ihn berufen, Johannes Bobrowski, Herbert Heckmann, Fritz Rudolf Fries, Martin Walser etwa, oder auch Peter Bichsel, Peter O. Chotjewitz und Wolf Wondratschek, deren Arbeit zu einem guten Teil von dem Beispiel des Walserschen Schreibens her zu verstehen ist.

Dies ist nun doch ein kleines Stück Wirkungsgeschichte. Aber das anfangs skizzierte Problem ist dadurch nicht einfacher geworden. So aufschlußreich die Äußerungen der Schriftsteller zu Robert Walsers Werk oft sind (in besonderem Maß auch für die jeweiligen Autoren selbst), so wenig helfen sie, jenen Stellenwert zu klären. Sie gehören eher in die Geschichte der Literatur als in die Geschichte der literaturwissenschaftlichen Bemühungen um die Literatur. In dieser Situation stellt sich auch die Frage, wie es denn zu erklären sei, daß Walsers Werk seit einiger Zeit die Aufmerksamkeit der Literaturwissenschaft und besonders auch wieder der Schriftsteller auf sich gezogen hat. Ließe sich die Frage ohne weiteres beantworten, wäre wohl auch der Schlüssel zu einer angemessenen literaturhistorischen Lokalisierung nicht schwer zu finden; daß sich die Frage aber nicht so leicht beantworten läßt, hat seinen Grund eben wieder darin, daß sich, abgesehen von der spezifischen Wirkung auf die Zunftgenossen und von der eher unliterarischen Wirkung des Spaziergängers, Walsers Werk fast wie ein blindes Motiv durch die Geschichte der Literatur nach 1900 zieht. Weshalb ist das Motiv plötzlich nicht mehr blind, sondern wahrnehmbar und aktuell? Einige Tendenzen der neuesten Literatur ermöglichen immerhin einen ersten Ansatz zur Beantwortung dieser Frage. Seit Mitte der fünfziger Jahre macht sich immer stärker eine Neigung zur poetischen Selbstreflexion und zur poetologischen Reflexion auf die Sprache als 'Material' oder sogar Gegenstand der Literatur bemerkbar, und andererseits wird Literatur gerade von den Schriftstellern in wachsendem Maße mit Mißtrauen beobachtet. Von diesen Tendenzen aus ist die Auf-

---

1 Ein Beispiel dafür ist der Aufsatz ‚Robert Walsers späte Prosa' von Gerhard Piniel (Schweizer Monatshefte 46, 1966/67, S. 762–768), in dem der Autor, ziemlich hilflos vor der Berner Prosa, in ihrer polemischen Beschreibung gleichsam einen Nachruf auf Walsers Frühwerk verfaßt. – Zum Thema des vorliegenden Aufsatzes vgl. den bemerkenswerten, in seiner Neigung zu einem allegorisierenden Interpretationsverfahren allerdings kritisierbaren Essay von George C. Avery: Das Ende der Kunst. Zum Problem der Interpretation von Robert Walsers Spätprosa. Schweizer Monatshefte, 47, 1968/69, S. 285–305.

merksamkeit auf Robert Walser jedenfalls verständlich, ohne daß sich deswegen schon weitergehende Schlüsse ziehen ließen. Das skizzierte literaturhistorische Problem, das hier nur gerade in den Blick gerückt werden kann, läßt sich verdeutlichen durch das jetzt notwendige Gegenargument zu der Eingangsthese, der Analytiker habe der Versuchung zu widerstehen, Walsers Werk, weil jetzt erst wahrnehmbar, als quasi-zeitgenössisches anzusehen: es ist nicht nur unvermeidlich, sondern legitim, ein Werk, das Jahrzehnte nach seinem Abschluß erst wahrgenommen wird oder wahrgenommen werden kann, unter den Gesichtspunkten zu analysieren, unter denen es wahrnehmbar geworden ist. Freilich erweist sich Walsers Spätprosa, wenn man sie insgesamt als quasi-zeitgenössisch betrachtet, als anachronistisch, gerade angesichts der Vorstöße, die in ihr zu beobachten sind und die sie entdeckenswert machen. Damit ist ein Korrektiv für die mögliche Tendenz gegeben, dieses Werk unhistorisch für ein heutiges zu nehmen. Es bleibt allerdings zu bedenken, daß literaturgeschichtliche Betätigung, wenn sie sich darauf beschränkt, Literatur nur an ihrem jeweiligen chronologischen Ort aufzusuchen und dort festzumachen, nicht nur ungeschichtlich ist, sondern auch Stoffhuberei ohne Relevanz. Gerade literaturgeschichtlich orientierte Literaturwissenschaft muß ihre mobilen Gegenstände in deren Mobilität zu verstehen suchen.

Welcher Art sind die von Walser unternommenen Vorstöße? Es wäre nicht sinnvoll, sie der Reihe nach herzuzählen. Das bedeutete nämlich, daß man Walser von dem Standpunkt einer heutigen Literatur aus lediglich als Vorläufer nähme, und das wieder hieße: Inventarisierung und Abschließung dessen, was erst zur Entdeckung gelangt. Hier soll vielmehr versucht werden, in der Beschreibung einiger bestimmender Züge der Walserschen Spätprosa und in der Analyse ihrer poetischen Selbstbestimmung den Ort ausfindig zu machen, den dieses Werk heute einnehmen kann.

Eine weitere methodische Vorbemerkung erscheint angebracht: dieser Aufsatz baut auf einer früheren Arbeit des Verfassers auf.[2] Deswegen sei auf ihre Grundzüge hingewiesen, zumal da im folgenden einige ihrer Leitbegriffe wiederaufgenommen werden. Das Resümee mag als eine Art Plattform für diesen Aufsatz dienen. Es ging vornehmlich darum, strukturanalytisch darzustellen, mit welcher Konsequenz Walser „auf sprachlichem Gebiet" experimentierte – so nennt er seine schriftstellerische Tätigkeit in dem späten Text ‚Meine Bemühungen' (X. 431).[3] Dieses Experimentieren verbindet von Anfang an den poetischen Vorgang mit der poetologischen Reflexion auf ihn, wie die Analyse von Walsers erstem publizierten Prosatext ‚Der Greifensee' zeigt. Poetologische Reflexion ist nirgends Zutat, sondern integraler Bestandteil des poetischen Prozesses. Die Untersuchung ist nicht streng an der Chronologie des Werkes orientiert, obwohl sie mit dem Frühwerk beginnt und mit dem Spätwerk endet, sondern sie versucht, Walsers Prosa unter verschiedenen Aspekten systematisch anzugehen. Das wichtigste Prinzip, aus dem alle andern Aspekte gewonnen werden, ist die mit den Begriffen „Vorläufigkeit" und „Wiederholung" bezeichnete Grundspannung von Walsers Schreiben. Diese

---

2 Robert Walsers Prosa. Versuch einer Strukturanalyse (= Literatur und Reflexion, hrsg. v. Beda Allemann, Bd. 1), Gehlen-Verlag, Bad Homburg v. d. H., Zürich, Berlin 1970.

3 Zitiert wird, unter Angabe von Band- (römisch) und Seitenzahl, nach Jochen Grevens Edition, in einem Fall nach Band 1 von Seeligs Ausgabe.

Begriffe sind so wörtlich wie möglich zu nehmen; sie gelten nicht nur in thematischer Hinsicht, sondern Vorläufigkeit und Wiederholung sind als Widerspiel in großen strukturellen Zusammenhängen und oft auch bis hinein ins stilistische Detail wirksam. In der aus der Bieler Phase stammenden ‚Naturstudie' erklärt der Erzähler, er sei stets suchend umhergegangen, habe sich „im voraus aufs Finden" gefreut, im Finden selbst aber nicht so viel Vergnügen gefunden wie im Suchen:

„Ebenso beglückt den Goldsucher keineswegs der Klumpen Gold, vielmehr das Verlangen darnach. Durch eifriges Suchen gelangen wir zum Finden; möchten aber am liebsten alles Gefundene sogleich wieder verlieren, um uns wieder frisch ins Suchen hineinfinden zu können." (III. 189–190)

An diesen Sätzen läßt sich das Widerspiel modellhaft wahrnehmen. Das Finden ist nicht Abschluß des vorläufigen Suchens, sondern es ist selbst vorläufig und der Wiederholung bedürftig, aber dabei geht es nicht um unendliche Repetition, sondern das Suchen selbst, nicht ein bestimmtes Objekt des Suchens, muß das Ziel werden, zu dem die Bewegung des Findens führt; das ist mit der Formulierung des sich ins Suchen Hineinfindens geleistet. Dieses Modell läßt sich nicht ohne weiteres auf größere Zusammenhänge übertragen, es sollte als formelhafte Abbreviatur des Widerspiels verstanden werden. Es zeigt, daß Vorläufigkeit und Wiederholung im Widerspiel eine andere Dimension erreichen als die, der sie je für sich angehören. In dieser Dimension hat auch das seinen Ort, was wir als konjunktivisches Sprechen bezeichnen. Der terminus „Konjunktivität" ist nicht primär grammatikalisch zu verstehen, sondern stilistisch und strukturell. Welche Valenz Konjunktivität für Walser hat, läßt sich in Kürze wieder an einer Art Formel darstellen, durch die auch die Beziehung zwischen Konjunktivität und Widerspiel deutlicher werden kann; der Schlußsatz der Prosafolge ‚Allerlei' aus dem Jahr 1911 lautet:

„Mich würde nichts bewegen, wenn nicht allerlei mich bewegte." (I. 184)

Dieser konjunktivisch gesprochene Satz gilt auch thematisch dem Konjunktivischen. Der exakte Vollzug des Widerspiels von Vorläufigkeit und Wiederholung macht ihn hermetisch, aber in seiner Konjunktivität schafft er sich zugleich eine Offenheit, die in dem Spiel mit der Tautologie ihr Motiv hat. In dem Satz macht sich im Zuge des Widerspiels Destruktion geltend, ein weiteres der wichtigen Strukturelemente der Walserschen Prosa. Was der Satz sagt, hebt er zugleich auf, aber er bleibt als Satz bestehen. So ist er die konjunktivische Darstellung einer Verfassung, deren Realisation sich im Widerspiel konjunktivisch ereignet. Im konjunktivischen Spielraum wird auch möglich, was die späte Prosa Walsers deutlich bestimmt: die Technik der Kombination (ein Begriff, den Walser selbst zur Kennzeichnung seines Verfahrens gelegentlich angewandt hat): das ist die poetische Vereinbarung von zunächst unvereinbar Scheinendem qua Verfahren. Das Kombinatorische, das sich von dem für Walser von Anfang an charakteristischen Spaziergangs-Motiv her verstehen läßt, wenn man dies nur auf seine stilistische und strukturelle Funktion hin untersucht, stellt die wichtigste Errungenschaft Walsers dar. Der spezifisch poetologischen Bedeutung des Kombinationsprinzips gilt das Schlußkapitel der hier resümierten Arbeit, und zwar mit der Entfaltung von Walsers Frage, ob man reden solle oder schweigen. Die schon im Destruktionsmotiv angelegte Tendenz nicht nur gegen Literatur, sondern gegen Sprache und Sprechen überhaupt, kommt dort voll zur Geltung.

II.

Eine der auffälligsten Erscheinungen der Berner Prosa ist nämlich – damit wenden wir uns den Themen dieses Aufsatzes zu –, daß Walser nicht mehr so 'spricht', als wäre Sprechen selbstverständlich. Der Stand sprachlicher Unschuld ist unwiderruflich dahin. Es wird in Walsers Prosa auf häufig schon forcierte Weise deutlich gemacht, daß gesprochen wird; das geschieht nicht immer ausdrücklich, aber fast durchweg demonstrativ. Außer dem wörtlich Gesagten, das eine gewisse inhaltliche Konsistenz, nicht unbedingt auch inhaltliche Kontinuität besitzt, ergibt sich oft eine zweite Handlungsfolge, welche die erste unterläuft. Am besten läßt sich das an den Metaphernspielen beobachten, die Walser von früh an betreibt und im Spätwerk intensiviert. Ein Beispiel aus einem der wenigen längeren, in extremer Weise kombinatorisch strukturierten Stücke der Berner Zeit (‚Die Ruine') mag das zeigen. Es ist dort zunächst von einem Waisenknaben die Rede, dann heißt es:

„Mir scheint, ich sage die Wahrheit, wenn ich darlege und vor mich hinwerfe, er habe täglich bloß ein Stück Brot zu essen gehabt." (VIII. 345)

Es ist nicht mehr möglich, diesen Satz auf eine pure Information zu reduzieren, welche etwa dahinginge, daß jener Waisenknabe vermutlich wenig zu essen gehabt hätte. Zwar läßt sich so etwas dem Satz immer noch entnehmen, oder es stellt das doch immerhin eine der Möglichkeiten dar, ihn zu verstehen. Aber eine derartige Beschränkung brächte den Satz um Wesentliches. Die Umständlichkeit des Satzes hat ihre Triebfeder in einem Streben nach Genauigkeit. Dieses macht sich darin geltend, daß Walser – der Beginn des Satzes ist ein Signum der Konjunktivität – sozusagen unter Vorbehalt spricht, und daß er auf dem metaphorischen Charakter der Sprache beharrt. Im angeführten Satz geschieht dies dadurch, daß 'darlegen' durch 'hinwerfen' nicht nur verstärkt, sondern demonstrativ übertrieben wird; zugleich wird es in mittelbaren Konnex gebracht mit jenem Stück Brot, das der Knabe zu essen gehabt habe: der Objektsatz, in dem auf den ersten Blick das Wesentliche der Information dieses Satzes zu stecken scheint, ist nun (und mit ihm eben jenes Stück Brot) das nicht mehr selbstverständlich Dargelegte und Hingeworfene. Hier läßt sich die Lage erkennen, in der ein dichterisches Sprechen sich befindet, das so reflektierend verfährt: indem Walser nicht versucht, dem Metaphorischen auszuweichen, sondern es, ohne es wohl wirklich zu akzeptieren, in einer Art Doppelspiel forciert, zeigt sich, daß nicht mehr selbstverständlich gesprochen wird, sondern gleichsam zitierend, in der prinzipiellen Situation von Wiederholung.

Walter Benjamin hat in seinem Walser-Essay von 1929 geschrieben:

„Walser ist das Wie der Arbeit so wenig Nebensache, daß ihm alles, was er zu sagen hat, gegen die Bedeutung des Schreibens völlig zurücktritt. Man möchte sagen, daß es beim Schreiben draufgeht." [4]

---

4 Benjamin, W.: Illuminationen. Ausgewählte Schriften, hrsg. v. Siegfried Unseld. Suhrkamp Verlag, Frankfurt a.M. 1961, S. 371.

Obwohl diese Hinweise (zumal der auf Destruktion) Wichtiges in den Blick rükken, muß man doch in Frage stellen, daß sich Wie und Was des Schreibens noch so eindeutig trennen lassen. Damit soll nicht auf die allgemeine und von Benjamin gewiß nicht verkannte Problematik der Inhalt-Form-Relation hingewiesen werden, sondern es geht um die schwer zu beschreibende Erscheinung, daß nicht nur jene dem Satz noch zu entnehmende Information Thema des Sprechens ist, sondern auch das Hervorbringen dieser Information – dies aber nicht als 'Wie': sondern die Bewegung der sprachlichen Hervorbringung wird selbst so etwas wie Information. Der Übergangscharakter der Sequenz (die Wahrheit sagen – darlegen – hinwerfen – und dann der Objektsatz) läßt die Unterschiede zwischen 'Sagen' und 'Gesagtem' hinfällig werden, Transportmittel und Transportiertes nähern sich über den Transport einander an, dank der Spannweite, die das metaphorische Sprechen im konjunktivischen Bereich, wie ihn der Anfang des Satzes eröffnet, gewinnen kann.

III.

Sprache wird, wenn man so verfährt, als großer Zitatenschatz genommen. Über den kann zwar verfügt werden; er bleibt gleichwohl beherrschend, weil es außerhalb seiner keine Sprechmöglichkeit gibt. Eine derartige Disposition in bezug auf Sprache und Sprechen hängt kaum mehr zusammen mit jener Sprachskepsis, die Hofmannsthal 1902 seinen Philipp Lord Chandos artikulieren ließ. Eher kann man sie mit den wenigen, aber kategorischen Äußerungen Franz Kafkas in Beziehung bringen. Am 6. Dezember 1921 notierte Kafka:

„Aus einem Brief: ‚Ich wärme mich daran in diesem traurigen Winter.' Die Metaphern sind eines in dem vielen, was mich am Schreiben verzweifeln läßt. Die Unselbständigkeit des Schreibens, die Abhängigkeit von dem Dienstmädchen, das einheizt, von der Katze, die sich am Ofen wärmt, selbst vom armen alten Menschen, der sich wärmt. Alles dies sind selbständige, eigengesetzliche Verrichtungen, nur das Schreiben ist hilflos, wohnt nicht in sich selbst, ist Spaß und Verzweiflung." [5]

Ihre Ursache hat die Unselbständigkeit gerade in der metaphorischen Qualität von Sprache, die Kafka, von dem Zitat ausgehend, in seiner Notiz demonstriert. Das Schreiben ist auf ein 'Material' angewiesen, das, weil es von vornherein in einem Zwischenbereich angesiedelt und fast nur Funktion und Medium ist, sich gar nicht feststellen läßt, sondern sich fortwährend im Übergang befindet. Aber die Grenzpunkte des Übergangs lassen sich nicht bezeichnen; das macht die Problematik aus und führt zu Spaß und Verzweiflung. Kafka hatte früher (in der Tagebuchnotiz vom 8. Oktober 1917) eine Eigenschaft von Robert Walsers Stil der Berliner, möglicherweise auch der Bieler Prosa mit dem von Charles Dickens kritisch verglichen. Der Vergleichspunkt lag ihm „in der verschwimmenden Anwendung von abstrakten Metaphern." [6] Diese Kritik wird angesichts der Berner Prosa hinfällig, weil Walser in ihr die Metaphern und das Metaphorische im Sprechprozeß reflex werden läßt, wie es sich an dem Beispielsatz aus ‚Die

[5] Kafka, F.: Tagebücher 1910–1923. S. Fischer Verlag, o. O., o. J., 11.–13. Tsd., S. 550–551.
[6] S. Anm. 5, S. 536.

Ruine' beobachten ließ. Für das Verständnis der kritischen Bemerkung Kafkas muß man bedenken, daß Walser vornehmlich in seiner Berliner und – auf entschieden abgewandelte, mehr auf die Reproduktion von Klischees gerichtete Weise – in seiner Bieler Phase das metaphorische Sprechen geradezu exzedieren ließ. Metaphern wurden dort oft wie starre, scheinbar festgestellte Elemente benutzt, deren metaphorische Qualität nicht aus dem Sprechprozeß heraus deutlich wurde. Sie gaben sich sozusagen den Anschein jener Selbständigkeit, die Kafka in der späteren Notiz als für die Verrichtung des Schreibens zwar notwendig, aber nicht erreichbar ansieht. Ansätze zum demonstrativen Reflexmachen des Metaphorischen lassen sich allerdings bereits im Frühwerk Walsers erkennen. Es steht nicht zur Debatte, ob die hier angedeuteten Probleme Walser auch explizit theoretisch bewußt gewesen sind; zumindest finden sich kaum Andeutungen in Walsers Texten dafür. Von Belang ist nur, daß er diese Problematik im poetischen Prozeß, d. h. in der Praxis des dichterischen Sprechens, fortwährend demonstriert.

Die Aufmerksamkeit auf die metaphorische Beschaffenheit von Sprache ist keine Marotte des Außenseiters Robert Walser. Außer Kafka haben sich viele seiner Zeitgenossen zu diesem Problem geäußert.[7] Das muß im Rahmen der Bewältigung des Symbolismus gesehen werden, seiner Errungenschaften und seiner Belastungen. Oft wurde vor allem entschiedene Aversion gegen ornamentalen Stil formuliert, aber bei dieser Äußerlichkeit blieb es nicht. Alfred Döblin inkriminierte in seinem offenen Brief an Marinetti (‚Futuristische Worttechnik', 1913) dessen verhüllt metaphorisches Verfahren, nämlich mit Analogien zu arbeiten. Das schien nur deswegen so kühn, weil Marinetti im Endprodukt alles eliminiert hatte, was die jeweilige Analogie ausmachte. Döblin hielt ihm entgegen: „[...] Sie haben Assoziationen, und das sind Bindungen, und Sie vermögen diese Bindungen auf keine Weise zum Ausdruck zu bringen."[8] Diese Kritik zielt in die gleiche Richtung wie Kafkas Bemerkung über die verschwimmende Anwendung von abstrakten Metaphern. In seinem ‚Berliner Programm' (‚An Romanautoren und ihre Kritiker') formuliert Döblin noch deutlicher: „Bilder sind gefährlich und nur gelegentlich anzuwenden; [...] Bilder sind bequem."[9] Eben diese Bilder hatte Marinetti – der im übrigen dazu aufrief, konventionelle Elemente der Dichtersprache zu zerstören, „Bilder-Clichés, farblose Metaphern, also fast alles"[10] – im 'Technischen Manifest der futuristischen Literatur' gefordert: „Die Dichtung muß eine ununterbrochene Folge neuer Bilder sein, ohne die sie blutarm und bleichsüchtig ist."[11] Die Ununterbrochenheit der Bilderfolge, die nach Döblins Auffassung nur zustandekommen kann, weil Marinetti die vorhandenen Bindungen im poetischen Prozeß nicht sprach-

[7] Auf einige der folgenden Beispiele wie auch auf Kafkas Notizen hat Beda Allemann in seinem Essay ‚Die Metapher und das metaphorische Wesen der Sprache' (in: Welterfahrung in der Sprache, Erste Folge, Freiburg u.a. 1968, S. 29–43) knapp kommentierend hingewiesen. Diesem Essay verdankt der vorliegende Aufsatz wichtige Anregungen.

[8] Döblin, A.: Aufsätze zur Literatur. Walter-Verlag, Olten und Freiburg i. B. 1963, S. 13.

[9] S. Anm. 8, S. 18.

[10] In: Theorie der modernen Lyrik Dokumente zur Poetik I, hrsg. v. Walter Höllerer. Rowohlt, Reinbek 1965 (= rde 231–233), S. 136.

[11] S. Anm. 10.

aktiv werden läßt, ist so das genaue Gegenteil dessen, was Döblin von der Literatur verlangt, der durchaus erkennt, daß Marinetti mit seinen Forderungen weit hinter die literarischen Errungenschaften seiner Zeit zurückfällt, nämlich in einen irrationalen Archaismus. Die „ununterbrochene Folge neuer Bilder" hat einen modischen Zug, und für Döblins Verständnis kann sie nur unverbindlich-private Illustration von etwas sein, das nicht zur Sprache kommt. Döblin setzt dagegen die Forderung nach „Kinostil": „In höchster Gedrängtheit und Präzision hat 'die Fülle der Gesichte' vorbeizuziehen."[12] Das ist der von Döblin bekämpften Forderung Marinettis nur scheinbar ähnlich. Döblin fordert von der Literatur das, was beim Kino das Optische ist. Durch das von ihm angeführte Zitat wird deutlich, daß „Kinostil" metaphorisch zu verstehen ist, wie auch eine weitere Versuchsbestimmung, die dem „Kinostil" synonym sein kann, weil sie einem ganz andern Bereich entnommen ist: dort nennt Döblin jenes geforderte Verfahren „den steinernen Stil". Der steinerne Stil sei unpsychologisch und ohne ornamentale Zutat. „Der Sprache" – so heißt für Döblin die Aufgabe – „das Äußerste der Plastik und Lebendigkeit abzuringen." Von den Begriffen „Plastik" und „Lebendigkeit" her werden die Versuchsbestimmungen 'steinerner Stil' und 'Kinostil' einsichtig; 'Bilder' passen trotz scheinbarer metaphorischer Nähe nicht zu dem Prinzip, das Konzentration auf die Bewegungs- und Nennkraft der Sprache fordert. Dem widerspricht nicht der Satz: „Das Ganze darf nicht erscheinen wie gesprochen, sondern wie vorhanden." Daß hier die Beschränkung auf die Gesetze der Sprache gemeint ist, belegt der anschließende Satz: „Die Wortkunst muß sich negativ zeigen in dem, was sie vermeidet: ein fehlender Schmuck [...]." Und Schmuck sind eben jene 'Bilder', welche vom Material des Dichters ablenken. Freilich ist dieses Prinzip utopisch, insofern es ein Ziel bezeichnet. Insofern es aber ein Verfahren meint, das die *Tendenz* hat, die Sprache selbst zu Wort kommen zu lassen, ist es gar nicht so weit entfernt von einem Vorgehen, das die metaphorische Beschaffenheit von Sprache in ihrem Gebrauch demonstriert. Die Forderung nach 'Bildern' meint genau das Gegenprinzip. – In einem engeren Bedeutungsrahmen, aber doch wieder strenger bezogen auf das Problematische des metaphorischen Sprechens, hat Carl Sternheim im Nachwort zu seiner als 50. Band der Bücherei ‚Der Jüngste Tag' erschienenen Erzählung ‚Ulrike' argumentiert – unter der Überschrift ‚Kampf der Metapher!'[13] Sternheim nimmt dort für sich das Verdienst in Anspruch, in seinen literarischen Hervorbringungen das Bürgertum „als seiner eigenen, gehätschelten Ideologie inkommensurabel gezeigt zu haben". Er habe dem Bürger Mut gemacht „zu seinen sogenannten Lastern, mit denen er Erfolge errang", und er habe ihm geraten, „Begriffe, die einseitig nach sittlichem Verdienst messen, als unerheblich und lebensschwächend endlich auch aus seiner Terminologie zu entfernen", fährt Sternheim satirisch fort. Dann:

> „Es sei unwürdig und lohne nicht, das Ziel, eigener Natur zu leben, metaphorisch ängstlich zu umschreiben. Es gehe damit, bei selbstisch gerichtetem Urtrieb, kostbare Kraft verloren."

---

[12] Wie alle folgenden Döblin-Zitate: Aufsätze zur Literatur (s. Anm. 8), S. 17–18.

[13] Nach dem Faksimile-Neudruck von ‚Der Jüngste Tag', Scheffler-Verlag, Frankfurt a.M. 1970, Bd. 2, S. 223–224.

Wesentlich ist hier die stil- und ideologiekritische Seite der Aversion gegen metaphorisches Sprechen, andererseits verbaut diese tendenziell aufklärerische Bemerkung die Möglichkeit, das fundamental Metaphorische der Sprache zu erkennen, wie die Attacken gegen die ornamentalen Ausschweifungen des Metaphorischen sie verbaut haben. Dadurch aber, daß die manipulatorischen Möglichkeiten von Sprache gerade im Metaphorischen aufgesucht werden, ist, ungeachtet der utopischen Forderung Sternheims, direkt und unmetaphorisch zu reden, das Metaphorische als Grundprinzip in den Blick gekommen, und nicht als ornamentale Zutat. Kurz nach Sternheims ‚Ulrike' erschien von Theodor Tagger (Ferdinand Bruckner): ‚Das neue Geschlecht. Programmschrift gegen die Metapher.'[14] In der Vorbemerkung bezieht sich Tagger ausdrücklich auf Sternheims Deklaration, aber er will dem Kampf eine andere Richtung geben. Was bei Sternheim angelegt war, wird jetzt zum Hauptgeschäft: der Begriff der Metapher wird von Tagger genaugenommen im Sinne von 'Surrogat' verwendet. Tagger konstatiert, daß alles zur Metapher geworden sei, aber das Metaphorische selbst faßt er gar nicht ins Auge. Seine trotz ihres verbal-revolutionären impetus ziemlich konservative Schrift ist – selbst in den sprachlicher und literarischer Problematik geltenden Passagen – ein zivilisationskritisches Lamento und zugleich ein vages weltanschauliches Programm: an Stelle von Metapher (es heißt auch: an Stelle von „Kritik und Analyse"[15]) setzt Tagger die Wahrheit „der Einfachheit und der Natur"[16], den Geist des neuen Geschlechtes: „Geist, der geschieht, öffnet immer die Arme an die Horizonte."[17] Kafka bezeichnete die Schrift als „elend, großmäulig, beweglich, erfahren, stellenweise gut geschrieben"[18] – vermutlich weil Tagger die für Kafka so evidente Problematik des Metaphorischen gar nicht wahrgenommen hatte. Aus den Äußerungen Sternheims und besonders Taggers läßt sich aber erkennen, wie sehr 'Metapher' schon zum Reizwort geworden war, andererseits auch, welche prinzipielle Bedeutung, weit über das nur Rhetorische oder handwerklich-Literarische hinaus, dem Problem des Metaphorischen beigemessen wurde.

Diese Hinweise auf die Metapherndiskussion der Schriftsteller sollen deutlich machen, daß sich die Situation seit dem Chandos-Brief gründlich gewandelt hat. Robert Walser steht mitten in dieser Diskussion, als Produzent, wenn er sie auch mit großer Wahrscheinlichkeit theoretisch nicht wahrgenommen hat. Es ist immerhin aufschlußreich, daß Walser auch in seiner Berner Prosa noch in manchmal ausschweifender Weise scheinbar 'ornamental', 'arabesk'[19] verfährt. Aber das hat nie primär dekorative Funktion, son-

---

14 Verlag Heinrich Hochstim, Berlin ^{3}1917.

15 S. Anm. 14, S. 33.

16 S. Anm. 14, S. 22.

17 S. Anm. 14, S. 36.

18 Tagebücher (s. Anm. 5), S. 533 (25. Sept. 1917).

19 Mit diesen Kategorien versucht Christoph Siegrist (Robert Walsers kleine Prosadichtungen. GRM N. F. 17, 1967, S. 78–97) Walsers Prosa beizukommen. In seiner stellenweise impressionistischen Beschreibung macht er eine Reihe überzeugender und weiterführender Beobachtungen, aber er fragt nicht nach der Text-Funktion von 'Sprachornament' und 'Spracharabeske', daher bleibt sein Aufsatz im Vorfeld des Analytischen.

dern es ist die spielerische Demonstration der Fragwürdigkeit des Sprechens. An einem Satz (wieder aus dem Text ‚Die Ruine‘) soll jenes charakteristische Moment beispielhaft noch einmal verdeutlicht werden:

„Die Sonne schien mir die Gleichgültigkeit selbst.“ (VIII. 346)

Der Satz fällt dadurch auf, daß er – nicht für den weiteren Kontext, sondern in seinem eigenen Vortrieb – sequenzartig Übergang schafft. Er baut sich auf in drei Stufen, treibt sich vor ins Metaphorische. Diese Stufen, deren Fixierung nur als Notbehelf verstanden werden sollte, lassen sich folgendermaßen darstellen:

Die Sonne schien
Die Sonne schien mir
Die Sonne schien
                                        mir
                                                      die Gleichgültigkeit selbst

Den Angelpunkt des Übergangs vom selbstverständlichen Scheinen der Sonne zum metaphorischen Scheinen der Sonne als Gleichgültigkeit bildet jenes „mir“. Das mag wie ein forcierter Ausdruck von Subjektivität anmuten. Ein solcher Schluß wäre voreilig, zumal das 'Scheinen' den Bereich dieses Sprechens auch konjunktivisch macht. Da nun einmal von einem Ich aus gesprochen wird oder vorsichtiger: da das den Textverlauf strukturell bestimmende Subjekt 'Ich' heißt, kann 'Ich', hier als „mir“, die einzige Textinstanz sein, an welcher der Übergang wahrnehmbar und plausibel wird. Der denkbare Satz 'Die Sonne schien die Gleichgültigkeit selbst' – nahezu eine 'abstrakte Metapher' – wäre unverbindlich und bloß subjektiv. Er wäre mehrdeutig, und seine metaphorische Beschaffenheit wäre verhüllt. Der Beispielsatz enthüllt gerade das Metaphorische, er demonstriert die Mehrdeutigkeit als aus dem metaphorischen Vortrieb resultierend, der in 'Ich' seinen Garanten hat. Eine weitere Voraussetzung für die Möglichkeit der Kombination von „Sonne“ und „Gleichgültigkeit“ muß bedacht werden: jedes Satzelement wird als einzelnes in den Satz aufgenommen. Die Wörter und geläufigen Sprechpartikel („Die Sonne schien“) werden wie Versatzstücke behandelt, die im metaphorisch-kombinatorischen Vortrieb über das Leitmotiv 'Ich' zusammengebracht werden. Ein Versatzstück im sprachlich-poetischen Bereich läßt sich angemessen durch den terminus 'Zitat' kennzeichnen.[20] Es sollte deutlich geworden sein, daß sich Zitathaftigkeit, metaphorische Beschaffenheit, Funktionalität von 'Ich' nicht isoliert verstehen lassen, sondern nur als verschiedene Momente eines einzigen Komplexes.

---

[20] Einen pauschalen Hinweis auf die Zitathaftigkeit poetischer Sprache hat Roman Jakobson bereits 1958 auf einer Konferenz des Social Science Research Council gegeben: „Virtually any poetic message is a quasi-quoted discourse with all those peculiar, intricate problems which 'speech within speech' offers to the linguist.“ (Closing Statement: Linguistics and Poetics. In: Style in Language, ed. by Thomas A. Sebeok, New York – London 1960, S. 371). Kürzlich hat Helmut Heißenbüttel auf die Zitathaftigkeit poetischer Sprache im 20. Jahrhundert aufmerksam gemacht im ‚Briefwechsel über Literatur‘ mit Heinrich Vormweg, Luchterhand, Neuwied und Berlin 1969, S. 28–29.

IV.

Eines dieser Momente, die Funktionalität von 'Ich', soll jetzt genauer behandelt werden. Dabei werden sich weitere Fragen stellen. Wir wenden uns zunächst der Einleitung von ‚Eine Art Erzählung' zu:

„Ich weiß, daß ich eine Art handwerklicher Romancier bin. Ein Novellist bin ich ganz gewiß nicht. Bin ich gut aufgelegt, d. h. bei guter Laune, so schneidere, schustere, schmiede, hoble, klopfe, hämmere oder nagle ich Zeilen zusammen, deren Inhalt man sogleich versteht. Man kann mich, falls man Lust hiezu hat, ein schriftstellernden Drechsler nennen. Indem ich schreibe, tapeziere ich. Daß mich einige freundliche Menschen für einen Dichter meinen halten zu dürfen, lasse ich mir aus Nachgiebigkeit und Höflichkeit gefallen. Meine Prosastücke bilden meiner Meinung nach nichts anderes als Teile einer langen, handlungslosen, realistischen Geschichte. Für mich sind die Skizzen, die ich dann und wann hervorbringe, kleinere oder umfangreichere Romankapitel. Der Roman, woran ich weiter und weiter schreibe, bleibt immer derselbe und dürfte als ein mannigfaltig zerschnittenes oder zertrenntes Ich-Buch bezeichnet werden können." (X. 323)

Walser umschreibt hier seine schriftstellerische Tätigkeit, indem er einige ihrer Aspekte metaphorisch benennt. Es ist dies eine der deutlichsten, aber, weil metaphorisch-expliziten, auch schon wieder irreführenden Bestimmungen der Kombinationstechnik, die Walser selbst je vorgenommen hat. Die handwerklichen Tätigkeiten haben alle zu tun mit einem „zusammen", und das Material wird als „Zeilen" bestimmt. Die Zeilen bilden das Vorgefertigte, mit dem „Ich" arbeitet. Das braucht nicht unbedingt wörtlich genommen zu werden, aber es kann wörtlich gelten, wenn man die allegorische Qualität der Passage im Auge behält, d. h. wenn man die Bestimmungen nicht isoliert, sondern sie als Teil der metaphorischen Projektion versteht, die Walser, um sich artikulieren zu können, vornimmt. Letztlich ist auch diese Passage wieder ein Hinweis auf den Zitatcharakter: „Zeilen" muß – im Interesse dieser Beschreibung – als metaphorisch-materiale Ausformung dessen gelten, womit der Schriftsteller zu tun hat. Weiterhin ist die Einleitung bestimmt durch das Prinzip der Konjunktivität: die spezifisch allegorischen Bestimmungen werden – das zeigt sich bereits an ihrer Variabilität – unter Vorbehalt kundgetan, ein Vorbehalt, der in der Schwierigkeit der hier vorgenommenen Selbstbestimmung des erzählerischen „Ich" seine Ursache hat.

Aber darf man diese Äußerungen ohne weiteres als autobiographische nehmen, und darf man, noch wichtiger, aus den Äußerungen schließen, Walsers Prosastücke seien so etwas wie Bestandteile einer bruchstückhaften, fortgesetzten Autobiographie? Was hat es überhaupt mit jenem „Ich-Buch" auf sich? Wichtige Ereignisse in den poetischen Prozessen, die Walser in seinen Prosastücken anstellt, sind von einem „Ich" aus bestimmt, beziehungsweise sie werden an einem „Ich" wahrnehmbar oder von diesem aus integrabel. Die meisten Berner Texte sind „Ich"-Stücke. Es wäre jedoch falsch, schon deswegen anzunehmen, es handle sich bei dieser Prosa um ein prinzipiell autobiographisches Sprechen. Vielmehr wird man sich zunächst die Frage zu stellen haben, ob „Ich" – und das betrifft nicht nur die Prosa Robert Walsers – überhaupt Ausdruck von Personalität sei. Probeweise kann man ja einmal das Nächstliegende annehmen, nämlich „Ich" sei in einem literarischen Text nichts anderes als jedes übrige Wort auch, es habe von sich her keinen andern Stellenwert als jene übrigen, mithin sei es vornehmlich als

Zitat relevant. So wäre „Ich" lediglich Exponent des Sprechprozesses und Metapher der Erzählfunktion. Wir haben darauf hingewiesen, daß das kombinatorische Verfahren unter anderm darauf beruht, daß Walser die metaphorische Beschaffenheit von Sprache nicht nur in Rechnung stellt und im Sprechprozeß indirekt attackiert, sondern auch ausnutzt. Die Instanz, welche dieses Verfahren ermöglicht, heißt in den meisten Stücken „Ich". Damit sind wir einer Lösung der Frage, ob es sich bei Walsers Prosa um etwas prinzipiell Autobiographisches handle, etwas näher gekommen, wenigstens ist der Rahmen abgesteckt, in dem „Ich" gesehen werden kann. Ständig wiederkehrend, dem Wortlaut und der Konvention des Sprechens nach immer dasselbe scheinend, zeigt sich „Ich" als wesentliches Steuerungs- oder zumindest Ballungsmoment des poetischen Prozesses. In einiger Zuspitzung läßt sich sagen, daß Walsers Berner Texte durch ein Doppelspiel ihre Konsistenz bewahren oder erst erhalten: weil immerfort „Ich" spricht, wird es möglich, die von „Ich" gesprochenen Sätze als miteinander in Zusammenhang stehend zu begreifen, als spräche ein Ich: „Der Roman, woran ich weiter und weiter schreibe, bleibt immer derselbe", weil er – der so lange nicht aufhört, wie „Ich" in Texten Walsers auftaucht – in „Ich" seinen Exponenten hat. Daß dieses „Ich-Buch" mannigfaltig zerschnitten oder zertrennt ist, liegt ebenfalls in der Integrations- und Vereinzelungskraft von „Ich", das sein einziges, wenn auch nur scheinbares, Stabilitätsmoment bildet. Die Frage des Autobiographischen ist in diese Überlegungen hineingekommen, obwohl „Ich" von vornherein nicht mit dem Vorurteil belegt worden ist, es sei Ausdruck von Personalität. Andererseits läßt die Formel vom „Ich-Buch", so genau in ihr Neutralität und Gleichgültigkeit des „Ich"-Sprechens formuliert zu sein scheinen, die Frage berechtigt erscheinen, ob es sich bei dem „Ich-Buch" nicht doch um so etwas wie fortgesetzte Autobiographie – möglicherweise in einem modifizierten Sinne – handeln könne.

Im Juli 1925 veröffentlichte Walser unter dem Titel ‚Walser über Walser' (VII. 217 bis 219) eine Art Apologie, die mit dem Satz beginnt: „Hier können Sie den Schriftsteller Walser sprechen hören." Die Apologie gilt der eigenartigen Lebensweise des Spaziergängers, sie setzt mit einem Rückblick auf die Bedingungen ein, unter denen ‚Geschwister Tanner' und ‚Der Gehülfe' entstanden. Dann heißt es:

„Alles was Schriftsteller Walser 'später' schrieb, mußte von demselben 'vorher' endlich erlebt werden."

Auf den ersten Blick scheint diese Formulierung den bisher angestellten Überlegungen zu widersprechen, sie scheint programmatisch darauf zu zielen, daß alles, was Walser schrieb, prinzipiell autobiographischer Art sei. Zweifellos wird hier Autobiographisches anvisiert, doch weder in dem Sinne, daß ein Schriftsteller als Autobiograph sein Leben unter dem Aspekt seiner dichterischen Produktivität und der durch sie ermöglichten Werke beschreibt, noch in dem vulgären Sinne einer Memoirenliteratur, sondern eher so, daß für den Schriftsteller Walser die Möglichkeiten und Bedingungen von Schreiben in dem liegen, was, in einer schriftstellerischen Bestimmung, 'Leben' heißt, und, im Gegenzug dazu, daß *solches* 'Leben' unbedingt im Horizont der schriftstellerischen Produktivität steht. Das um die Jahrhundertwende so virulente Problem der Gegensätzlichkeit und Gemeinsamkeit, also der Vereinbarkeit von Dichtung und Leben spielt herein, aber Walser diskutiert das Problem nicht, sondern er benutzt es als Stoff, zitiert es herauf und verändert es zugleich, indem er es als bereits literarisiert übernimmt und dies wieder nur unter dem Aspekt tut, daß hier ein Schriftsteller sich über sich selbst äußert. Selbst das Spazierengehen ist für „den lebenden Walser", den man „zu nehmen" versuchen solle, „wie er sich gibt", geradezu eine schriftstellerische Tätigkeit. Daß nämlich 'Erleben' und 'Schreiben' nicht in einer zu fixierenden chronologisch-kausalen Folge und Abhängigkeit zueinander sich verhalten, als würde das 'Erleben' für das 'Schreiben' zum 'Erlebten' verstofflicht, geht aus der Behandlung der Temporaladverbien in dem angeführten Satz hervor. Durch die Anführungszeichen werden „'später'" und „'vorher'" als provisorisch gekennzeichnet, sie sind aus dem gewöhnlichen Sprachgebrauch gleichsam herauszitiert und machen deutlich, daß 'Erleben' und 'Schreiben' lediglich verschiedene Aspekte einer und derselben Tätigkeit sind. Dem Aspekt des 'Schreibens' gilt „'später'", dem des 'Erlebens' gilt „'vorher'"; „'vorher'" und „'später'" verhalten sich zueinander wie Vorläufigkeit und Wiederholung in ihrem Widerspiel. Eine weitere adverbiale Bestimmung kann diese Interpretation stützen: „endlich". Sie bezieht sich auf das 'Erleben' und gerät durch ihre Stellung im Satz zugleich in Opposition zu „'vorher'". Dadurch hat sie nicht nur diejenige Bedeutung, die ihr im alltäglichen Sprachgebrauch zukommt, sondern sie muß zugleich auch wörtlich genommen werden, sie meint eine Weise, die durch 'Ende' bestimmt ist. Das vorher-Erleben tendiert zum später-Schreiben, und dieses ist das 'Ende' von jenem; andererseits tendiert die Disposition zum Schreiben, das „'später'" vollzogen wird, dazu, daß „endlich" etwas erlebt wird, und zwar „'vorher'". Wie entschieden diese Äußerungen unter der Voraussetzung des Literarischen überhaupt stehen, machen in ironisch-übertriebener Weise die unmittelbar folgenden Sätze deutlich:

„Kann ein Mensch, der nicht schriftstellert, morgens überhaupt seinen Kaffee trinken?
Ein solcher wagt kaum zu atmen!
Und dabei spaziert Walser täglich jeweilen noch ein Stündchen, statt sich sattzuschreiben. In seiner Natürlichkeit findet er Vorwände, Serviertöchtern beim Tischdecken behilflich zu sein.
Warum erlebte Walser einst allerlei?
Weil der Schriftsteller fröhlich in ihm schlief, ihn also am Erleben nicht hinderte."

Das klingt naiver, als es ist.[21] Auch ist es unter der Voraussetzung der prinzipiellen Zitathaftigkeit zu verstehen; die scheinbar willkürlich angeführten Formulierungsgegenstände stehen in einem sprachlichen Konnex miteinander, der im Metaphorischen evident wird, das gilt zumal für jenes 'Sattschreiben'. Walser bringt übrigens alles, was mit Literatur zusammenhängt, immer wieder und sehr variantenreich mit Wörtern zusammen, die im geläufigen Sprachgebrauch den verschiedenen Formen der Nahrungsaufnahme gelten. „Erzähle ich eine Geschichte, so denke ich ans Essen", beginnt etwa der 1927 publizierte Text ‚Spezialplatte' (IX. 179–180). Solche Formulierungsweise hängt mit der allgemeinen Vernichtungstendenz eng zusammen, Literatur wird

---

21 Zu der Dialektik von Schlafen und Wachen vgl. vor allem Greven, K. J. W.: Existenz, Welt und reines Sein im Werk Robert Walser. Versuch zur Bestimmung von Grundstrukturen, Diss. Köln 1959, S. 144–156.

bei Walser gern 'verschlungen' – ein Musterbeispiel dafür ist das späte, Destruktion auch thematisierende Prosastück ‚Für die Katz' (X. 432–434).[22]

Die „Vorwände", von denen in der Passage aus ‚Walser über Walser' die Rede war, haben in dem analysierten Sinne der Beziehung zwischen „'vorher'" und „'später'" die Funktion des „Stoffes oder Schreibvorwandes", von dem Walser in dem Text ‚Der heiße Brei' (IX. 96–99) spricht, in dem es dann auch heißt: „Besteht nicht Schriftstellern vielleicht vorwiegend darin, daß der Schreibende beständig um die Hauptsächlichkeit herumgeht oder -irrt, als sei es etwas Köstliches, um eine Art heißen Brei herumzugehen?" Diese metaphorsiche Reflexion gilt eben der Unmöglichkeit, der „Hauptsächlichkeit" sprachlich habhaft zu werden.

‚Walser über Walser' begann mit dem Satz: „Hier können Sie den Schriftsteller Walser sprechen hören." In der Diskrepanz zwischen dem Tun des Schriftstellers, dem Schreiben, und dem, daß er hier spreche, daß man ihn hier, im Geschriebenen, „sprechen hören" könne, macht sich nur wieder die ironische (oder albern übertriebene) Spannung geltend, die auch zwischen „'vorher'" und „'später'" besteht. Zugleich ist dies ein vorsichtiger Hinweis darauf, daß der Schriftsteller Walser hier in einer ganz bestimmten Weise tätig ist, indem er seine Schriftstellerei sich zum Stoff macht. Diese ist, thematisiert, den gleichen Bedingungen der Veränderung unterworfen wie jeder andere Stoff auch. Schon deswegen dürfen die Äußerungen nicht in vordergründiger Weise als 'Selbstaussagen' des Autors für bare Münze genommen werden.

Nach den bisherigen Beobachtungen kann es nicht mehr paradox erscheinen, wenn Walser in dem späten Berner Text ‚Meine Bemühungen' (X. 429–432) formuliert:

„In vorliegendem Versuch, ein Selbstbildnis herzustellen, vermeide ich jedes Persönlichwerden grundsätzlich."

Dieses Programm scheint ein „Selbstbildnis" im herkömmlichen Sinn unmöglich zu machen; eine gewisse Verschiebung ist schon dadurch eingetreten, daß Walser einen maltechnischen terminus wählt. Die von der grammatischen Struktur der Sprache bereitgestellte Möglichkeit, die Sprechform „Ich" zu verwenden, nutzt Walser aus, als artikulierte er unverwandelt Persönliches. Was dabei zustandekommt, ist gleich weit entfernt von fingierter Autobiographie eines vorgeschobenen 'Ich' wie von Bekenntnissen des Autors. Durch die Reduktion des „Ich" auf eine Sprechinstanz wird dessen Affinität zum Konjunktivischen verständlich. Im zweiten Satz kommt es zu einer Modifikation von „Persönlichwerden" und damit auch von „Selbstbildnis". Walser nimmt „Persönlichwerden" jetzt offenbar in der redensartlichen Bedeutung, also im Sinne von 'jemand-etwas-Nachsagen', und durch das erste Wort des Satzes wird betont, daß es sich dabei um nur eine der Möglichkeiten des Persönlichwerdens handelt:

„Beispielsweise sage ich hier über Persönlichkeiten von Belang, denen ich auf meinem Lebenswege begegnete, nicht das geringste."

Da Walser spielerisch weiterverfolgt, was er angeführt hat, findet doch so etwas wie untergründige Polemik statt, die Revokation wird zur diskreten Attacke. Im anschlie-

---

22 Vgl. dazu Rodewald, D.: Robert Walsers Prosa. S. Anm. 2, S. 124–125 und S. 237–238.

ßenden Satz ist genannt, auf was es bei diesem Versuch, ein „Selbstbildnis" herzustellen, ankommt:

„Dagegen spreche ich so genau, wie mir dies gelingen mag, über meine Bemühungen."

In der reduzierten Weise des „Ich"-Sprechens sind auch „meine Bemühungen" Zitat. Andererseits kommt durch sie jenes unpersönlich Stoffliche zur Sprache, das in der Spannung zwischen „'vorher'" und „'später'" steht. An diesem Stofflichen vollzieht sich Wiederholung, in der „meine Bemühungen" erst zum Gegen- oder Widerstand gemacht werden: als das mit dem Ziel seiner sprachlich-literarischen Realisation Veränderliche und nur in der Veränderung Mögliche. Das Autobiographische muß bei Walser so verstanden werden, daß statt unverwandelt Persönlichem „meine Bemühungen" zur Sprache kommen, und darüber hinaus, daß das Zur-Sprache-Kommen reflex wird, indem es, als unter „Ich", sich, auf sich selbst richtet.

„Ich" ist eine Charaktermaske. Was dahinter steckt, steht nicht zur Frage. Im Prozeß gewinnt „Ich" Integrationskraft und die Fähigkeit, Vereinzelung zu demonstrieren. Beides kommt überein in der Tätigung der Kombination im konjunktivischen Raum.

Die Überlegungen zur Funktion von „Ich" werden von Robert Walsers Spätwerk zwar provoziert, aber sie brauchen nicht unbedingt nur für dieses zu gelten. In der zehnten seiner ‚13 Hypothesen über Literatur und Wissenschaft als vergleichbare Tätigkeiten' ist Helmut Heißenbüttel der Frage unter andern Voraussetzungen und ohne Bezug auf Walser nachgegangen:

„Mit der Relaisstation der Imagination versinkt die des selbständigen und autonomen Subjekts. Es reduziert sich, überspitzt ausgedrückt, zu einem Bündel Redegewohnheiten. Das aus der christlichen Gotteskindschaft begrifflich abstrahierte, seiner selbst bewußte punktuelle Ich erweist sich als fiktiv und löst sich auf in ein Feld von Bezugspunkten. Wenn der Begriff des Subjekts über die Grenze hinweg bewahrt werden soll, muß er als etwas Multiplizierbares gedacht werden. Ich bin nicht ich, sondern eine Mehrzahl von Ich." [23]

Heißenbüttel formuliert diese Sätze aus der Erfahrung von Joyces ‚Finnegans Wake', worin die von ihm angedeuteten Prinzipien zum erstenmal angewandt worden seien. Es mag etwas halsbrecherisch scheinen, Heißenbüttels Hypothese auch für Walsers Spätwerk als gültig anzunehmen. Zur Debatte steht nicht die Vergleichbarkeit von ‚Finnegans Wake' und Walsers Berner Prosa unter dem Gesichtspunkt literarischer Qualität, sondern unter dem von signifikanten Verfahrensweisen. Übrigens bezieht sich Heißenbüttel anderswo mit einem ähnlichen Argument auf Carl Einsteins ‚Entwurf einer Landschaft' aus dem Jahr 1930: „Wenn man, was Einstein sagt, wörtlich nimmt: ‚Ich – ein Bild – müde des Namens' – so gibt es keine Zukunft für die dichterische Selbsterkenntnis und Selbstbestätigung des Subjektes. Die Fähigkeit einer menschlichen Innerlichkeit, ihr eigenes Wesen sprachlich zu erfassen, ist an ihr Ende gekommen." [24]

---

[23] Heißenbüttel, H.: Über Literatur. Walter-Verlag, Olten und Freiburg i. Br., S. 213–214.

[24] S. Anm. 23, S. 161. – Im Anschluß an Heißenbüttel hat Heinrich Vormweg versucht, den Gedanken weiterzuverfolgen in seinem Aufsatz ‚Zur Vorbereitung einer kritischen Theorie der Literatur' (Die Wörter und die Welt. Über neue Literatur. Luchterhand, Neuwied und Berlin 1968, S. 66 f.).

Von diesen Thesen und Erkenntnissen her scheint es einleuchtend genug, daß Autobiographie in einem herkömmlichen Sinn überhaupt nicht mehr möglich sei. Zugleich ist darauf zu bestehen, daß in dem für Walser skizzierten Sinn – wo es ja gerade nicht um das sprachliche Erfassen des eigenen Wesens einer menschlichen Innerlichkeit geht – Autobiographisches möglich bleibt. Man kann sich fragen, ob die gerade auch für „Ich" geltende prinzipielle Zitathaftigkeit wirklich eine Erfindung erst des zwanzigsten Jahrhunderts sei. Vielleicht ist es so, daß jetzt erst der Blick dafür frei geworden ist. Ein früher Beleg für eine bewußt modifizierte Art des „Ich"-Sprechens findet sich immerhin in einer Anmerkung von Stendhals ‚De l'Amour' aus dem Jahre 1822 (ein Buch, das Walser übrigens gut gekannt hat):

"C'est pour *abréger* et pouvoir peindre l'intérieur des âmes, que l'auteur rapporte, en employant la formule du *je,* plusieurs sensations qui lui sont étrangères, il n'avait rien de personnel qui méritât d'être cité." [25]

Vom 'Inneren der Seele' kann bei Robert Walser freilich nicht mehr die Rede sein. Wenn man allerdings an die weitere Begründung denkt, welche Stendhal für seine Verwendung der Formel „Ich" vorbringt, läßt sich das auch für seinen Zusammenhang bezweifeln; es scheint, daß „l'intérieur des âmes" auch dort nur eine Redensart sein könne – wenn man erst einmal bereit ist, „Ich" als Formel anzunehmen.

V.

Ein Text, der mit Zitaten arbeitet oder der ganze Romane oder Dramen in Kürze 'wiederholt', ist deswegen noch nicht durch Zitathaftigkeit bestimmt. Man könnte – ganz allgemein – geradezu einen Gegensatz zwischen Zitathaltigkeit und Zitathaftigkeit konstruieren. Für Walser wäre ein solcher Gegensatz nicht gültig. Bei ihm ist Sprache selbst als Zitat wirksam; unter dieser prinzipiellen Zitathaftigkeit ist das Zitieren etwa aus der Literatur nur eine Spielart, die freilich besonders stark ins Auge fällt. Die Komplexität der zitathaften Spätprosa Walsers soll nun am Beispiel eines längeren Textes untersucht werden, mit dessen Titel Walser auf die Diskussion des Themas 'Leben und Dichtung' ironisch anspielt. Der Titel selbst ist bereits ein Zitat; er entspricht nämlich dem der von Max Rychner redigierten Zeitschrift, in der Walser einige seiner Berner Texte veröffentlicht hat: ‚Wissen und Leben' (IX. 83–89, vermutlich 1926/27 entstanden).

Der Anfang lautet:

„(1) Ich stand vor einem Schaufenster eine Zeitlang still, las sodann einen Artikel und werde mich über beides so eingehend, wie mir dies mein Geschmack gestatten wird, äußern. (2) Wich-

[25] Stendhal: De l'Amour. Edition Garnier Frères, Paris 1959, S. 14. In der Übersetzung Arthur Schurigs lautet die Anmerkung: „Des knappen Ausdrucks wegen und um das Innere der Seele malen zu können, führt der Verfasser unter Gebrauch der Formel 'ich' verschiedene Empfindungen an, die ihm fremd sind. Er hat gar nichts Persönliches, das des Zitierens wert wäre." (Über die Liebe. Eugen Diederichs, Jena 1911, S. 356). – Zwei Texte Walsers beziehen sich ausdrücklich auf ‚De l'Amour': ‚Aus Stendhal' aus dem Band ‚Aufsätze' und ‚Eine Aufzeichnung von Stendhal', ein Dialogtext, der im 52. Abschnitt von ‚De l'Amour' seine Vorlage hat (VIII. 437–440).

tig scheint mir, daß ich mich bei geradezu glänzender Gesundheit sehe. (3) Das selbstredend bloß nebenbei. (4) Sollte ich nicht auch etwas von einer Marktfrau zu sagen haben? (5) 'Ganz zuletzt' kam ich dann an einer Kapelle vorbei. (6) Wann und wo war das? (7) Aber ist es nicht vollständig egal, zu welcher Stunde und an welchem Tag ich dieses Miniaturgotteshaus streifte, das ja übrigens nah an einem Waldrand steht, in dessen Umgebung Tennisturniere abgehalten werden. (8) Ich sah nämlich 'bei diesem Anlaß' eine Weile dem Tennisspiel zu, das mir gefiel, weil es elegant aussieht. (9) Längst hätte ich, beiläufig hervorgehoben, einer Predigt, wissen Sie, einer sonntäglichen Kirchenandacht, beiwohnen sollen. (10) Wahrscheinlich hätte sich dies speziell für mich die längste Zeit schon geschickt; ich vermag hieran keinen Augenblick zu zweifeln."

Bewegung – im Folgenden durch verschiedene Formulierungen als 'Gang' konkretisiert – bildet das Grundmotiv des gesamten Textes und, zusammen mit der Sprechinstanz „Ich", die Garantie für seinen kombinatorischen Zusammenhalt. Das Motiv Gang differenziert sich vornehmlich in drei Motivstränge, die man abbreviativ als Motivstrang Optik, Motivstrang Sprache und Literatur und Motivstrang Zeit bezeichnen kann. Das ist ein etwas rüdes Verfahren, aber die Bezeichnungen haben für unsere Analyse nur operative Bedeutung und meinen selbstverständlich den ganzen Umkreis von Bedeutungen, die sich bei jedem dieser Begriffe einstellen und von Walser ins Spiel gebracht werden. Die Motivstränge sind nicht immer gleichermaßen deutlich zu erkennen, manchmal gehen sie ineinander über, aber jeder kommt irgendwann hervor und wird dominant. Im ersten Satz, der durch das anfängliche Stillstehen bereits mit dem Grundmotiv Gang in Verbindung gebracht ist, scheinen bereits alle drei Motivstränge auf (Schaufenster, lesen; lesen, Artikel, sich äußern; eine Zeitlang). Der erste Satz bildet, wie aus dem zweiten deutlich wird, eine abgeschlossene Einheit, aber als Einleitung, denn er läuft auf die Ankündigung von Äußerungen hinaus. Die Gegenstände, über die „Ich" sich zu äußern ankündigt und die dadurch als die Themen dieses Sprechens gekennzeichnet sind, haben freilich wie übrige Informationen (im Sinne der Analyse des Satzes aus ‚Die Ruine') keinen andern Stellenwert im Vollzug des Gesamttextes als die ihnen geltenden Äußerungen selbst und deren Ankündigung. Die Äußerungen kommen im Aufbau und in der Verfolgung der Motivstränge zustande, dadurch ergibt sich eine Spannung zwischen 'Thema' und 'Motiv'. Unter 'Thema' wird hier alles verstanden, was es zu verhandeln gilt; unter 'Motiv' das, worin sich das Verhandeln selbst, als Textbewegung, sprachlich konkretisiert.

Walser treibt ein sprachliches Doppelspiel. Deutlich zeigt sich das an der äußeren Gleichheit von „Ich" als Subjekt (persönlichem Sprecher) einerseits und als bloße Sprechinstanz andererseits. Das bedeutet nicht, daß jetzt auszumachen wäre, hier spräche ein personales „Ich" und dort würde das Sprechen unter der Instanz „Ich" vollzogen. Vielmehr ergibt sich in der Situation prinzipieller Zitathaftigkeit notwendig die – geradezu textkonstitutive – Verwechselbarkeit von „Ich" und „Ich". Die Zerschnittenheit und Zertrenntheit des kombinatorischen Ich-Buchs hängt mit einer weiteren Eigenschaft des Doppelspiels zusammen, in dem der Inhalt-Form-Gegensatz aufgehoben scheint. Die Gegenstände, 'über die' gesprochen wird, lassen sich gar nicht mehr rein ausmachen, weil das Sprechen 'über sie' selbst in so etwas wie Gegenstand des Sprechens übergeht, kraft des Insistierens auf dem Metaphorischen. Einen ironischen Hinweis darauf kann man darin sehen, daß Walser – vergleichbar jener Ankündigung von Äußerungen – vor Schluß in einer Art sammelnden Bewegung die Themen, 'über die' gesprochen wurde, Revue passieren läßt, aber anschließend, einiges Vorherige wiederaufnehmend, den Gang des Textes ununterbrochen sich vollenden läßt, in den auch die Revue, jetzt aber nicht mehr als Revue, integriert ist.

Der Begriff des Doppelspiels, mit dem wir als einer Versuchsbestimmung arbeiten, wird gleich deutlicher werden. Er meint vornehmlich die demonstrative Reflexivität des Zur-Sprache-Kommens von Thematischem. Nach dem Einleitungssatz scheint der Text eine ganz andere Richtung einzuschlagen, der zweite Satz akzentuiert das durch seinen Beginn: als folge nämlich jetzt das Wichtige. Aber der im zweiten Satz aufgenommene Motivstrang Optik war ja bereits durch „Schaufenster" angelegt, und wenn man das Doppelspiel im Sinn hat, wird man diesen zweiten Satz nicht nur als Fortrücken des Sprechens in eine andere Richtung verstehen, sondern als konsequentes Heraustreiben des Motivstranges, und damit wird das metaphorische Moment des Doppelspiels nun auch deutlich: „Wichtig *scheint* mir, daß ich mich bei geradezu *glänzender* Gesundheit *sehe.*" Der Eindruck, das Sprechen bewege sich vom Beginn des zweiten Satzes an in eine andere Richtung als die mit dem Ende des ersten Satzes eingeschlagene, hat seine Ursache darin, daß die angekündigten Äußerungen noch nicht gemacht werden, sondern daß im Sinne des Vorläufigen weitergesprochen wird. Erst im Zusammenspiel mit 'glänzen' und 'sehen' stellt „scheint mir" seine Doppelbedeutung heraus. Die Häufung der metaphorischen Bezeichnungen macht ihre Zugehörigkeit zu dem einen Motivstrang Optik deutlich. Die dem Satz zu entnehmende Information läßt sich infolge des Doppelspiels nicht trennen von ihrer sprachlichen Hervorbringung, die trotz ihrer Umständlichkeit nicht Schnörkel oder Zutat ist, sondern Demonstration der Zurückgebundenheit des Sprechens an das Sprachmaterial. Die Hervorbringung wird als Funktion deutlich gemacht, aber ihre Funktionalität ist, eben wegen jener Zurückgebundenheit, selbst als gleichsam material zu verstehen. Das ist eigentlich eine Binsenweisheit, nur muß man sich ihrer bewußt bleiben. So jedenfalls ist zu verstehen, daß die Motivstränge ihrerseits eine gewisse inhaltliche Konsistenz gewinnen; im selben Zug wird Thematisches sozusagen unterminiert.

Der dritte Satz bringt einen andern Anschluß an den ersten, mit Hilfe der Motivstränge Sprache und Zeit. Die Ununterbrochenheit des Textes – der gleichwohl zerschnitten und zertrennt ist, wenn man ausschließlich auf das Thematische achtet – wird durch das „auch", welches einen ähnlichen Stilwert wie das „nebenbei" des dritten Satzes hat, im vierten Satz dokumentiert: „Sollte ich nicht auch etwas von einer Marktfrau zu sagen haben?" Zugleich ist hier der Motivstrang Sprache wieder aufgenommen. Der fünfte Satz beginnt mit einem Zitat. Dieses setzt den Motivstrang Zeit fort („eine Zeitlang", „sodann", „bloß nebenbei" – das letzte auch in deutlichem Bezug zum Grundmotiv des Gangs). Die Zitierung macht endgültig klar, daß es sich hier um einen Motivstrang handelt, der sozusagen bestimmte Sprechweisen fordert. Der Motivstrang Zeit wird im sechsten Satz – der durch den siebten Satz in einer bestimmten Weise beantwortet wird, wenn man nur auf dessen Fortführung mittels der Relativsätze achtet – thematisiert: „Wann und wo war das?" Der siebte Satz deutet mit seiner rhetorischen

Frage schon auf die höhere Gleichgültigkeit der im kombinatorischen Verfahren zur Sprache kommenden Thesen, Fakten, Geschichten und so weiter hin. Bemerkenswert ist außerdem, daß in den Relativsätzen 'Stoff' gleichsam nachgeholt, herzitiert wird. Man sollte nämlich nicht vergessen, daß hier auch in einem fast konventionellen Sinne er-zählt wird; erzählt wird immer das, was dem Sprechen Vorwand und Widerstand ist. Die Zitierung „'bei diesem Anlaß'" im achten Satz gilt wieder dem Motivstrang Zeit, der dann mit dem ersten Wort des neunten Satzes fortgeführt wird. Alle drei Motivstränge werden im neunten und zehnten Satz fort- und zusammengeführt, in der Formulierung „keinen Augenblick" kommen der Motivstrang Optik und der Motivstrang Zeit sogar unmittelbar überein.

Es ist nicht nötig, das Sprech- und Erzählverfahren über alle Details hin weiter zu verfolgen; das könnte ohnehin nur auf eine sehr behelfsmäßige Weise geschehen, da man notgedrungen auf kaum mehr zu bewältigende Artikulationsschwierigkeiten stößt. Deutlich geworden ist die Spannung zwischen Kontinuität und Interruption; durch diese Spannung ist das Fortsprechen in Verfolg des Doppelspiels charakterisiert.[26] Das Sprechen treibt sich spielerisch vor in seine eigene Absurdität. In solchen Situationen bewegt es sich häufig in der Nähe des Kalauers. Das Vortreiben hängt auch mit der in Walsers Prosa herrschenden Destruktionstendenz zusammen. Als Beispiel sei die Stelle aus ‚Wissen und Leben' angeführt, in der nun von jenem anfangs erwähnten „Artikel" die Rede ist:

„Doch nun zu dem Artikel, den mir eine Zeitung servierte, und worin Tolstoi-Äußerungen zu beliebigem Genuß gedruckt standen, die mir von Lebendigkeit zu glänzen, blitzen schienen."

Schon beim ersten Hinsehen fällt auf, daß die dem Literarischen geltenden Formulierungen wieder Eß-Metaphern sind, was durchaus in Zusammenhang mit der Destruktionstendenz zu bringen ist. Entscheidend ist aber in diesem Satz das Vortreiben des Motivstranges Optik. Die Bewegung der letzten drei Worte des Satzes mutet zunächst an wie Intensivierung, und das trifft zumindest für den ersten Teil der Folge auch zu: „glänzen, blitzen". Das dritte Wort, als einziges in finiter Gestalt, fängt diese Bewegung auf und gibt ihr Halt, aber zugleich entlarvt es im Doppelspiel die Intensivierungs-Bewegung als eine, die sich in ihre eigene Parodie vortreibt. Der Kontext arbeitet gegen das, was die Wörter, lexikalisch isoliert, meinen. Das Scheinen, das in seiner einen Bedeutung dem semantischen Bereich von Blitzen und Glänzen angehört, stellt dieses nun konjunktivisch in Frage. So absurd die Textsituation angesichts solcher Sprechpraktiken wird, so wenig macht das Sprechen hier halt, und schon gar nicht entläßt es sich in ein endgültiges Verstummen. Nicht gerät es an seine Grenze, sondern es bezieht diese demonstrativ in seine Prozessualität mit ein. Das gilt grundsätzlich für den konjunktivischen Spielraum, und der bleibt bestehen. Im Anschluß an diesen Vortrieb ins Absurde wird der Raum der Konjunktivität sogar ausgebaut. Das Sprechen beutet die Textsituation

---

[26] Hin und wieder läßt Walser seine Texte auch mit dem Hinweis schließen, daß das Sprechen nur unterbrochen und gelegentlich weitergeführt werde, so etwa in ‚Diskussion' (VIII. 224), ‚Artikel' (IX. 137), ‚Bildende Gestalten' (X. 57); für diese Gepflogenheit trifft die Formel vom mannigfaltig zerschnittenen und zertrennten Ich-Buch vielleicht noch genauer zu.

gleichsam aus, es überspielt die Grenze mit genau den Mitteln, durch die es diese Situation hergestellt, durch die es die Grenze wahrnehmbar gemacht hat. Auch das geschieht auf kompliziert-ironische Weise. Das Gerüst des Satzes lautet:

„Täuschen wir uns [...] nicht."

Die Beziehung zwischen Scheinen und sich Täuschen liegt klar zutage. Aber das Motiv wird durch einen Zusatz, der exakt auf den konjunktivischen Spielraum zugesprochen ist, noch potenziert:

„Täuschen wir uns [...], wenn es uns möglich ist, nicht."

Nur aus operativen Gründen haben wir die Formel so weit auseinandergenommen. Im Sinne des Doppelspiels wird in ihr nämlich auch der Anschluß an den Gegenstand, 'über den' gesprochen wurde, hergestellt, nur rückt auch der jetzt – in solchem Kontext – stärker als zuvor in den Raum der Konjunktivität:

„Täuschen wir uns über Tolstoi, wenn es uns möglich ist, nicht."

Aber gerade so wird das Fortsprechen konstruktiv ermöglicht. Dabei ist nichts von dem verhüllt oder beschönigt, was die Möglichkeit des Sprechens beeinträchtigt.

VI.

Die Konstruktivität der Berner Prosa liegt nicht in einer besonderen Art von Kalkül, sondern im Verfolgen sprachlicher Möglichkeiten. Endgültiges und Abschließendes kann in ihr nicht mehr gesagt werden. Insofern ist der zuletzt angeführte Satz, so genau er auch auf seinen näheren Kontext bezogen werden muß, programmatisch. Was er umspielt, wird im Text fortwährend praktiziert. Das Sprechen hat in der Reflexivität, die es dadurch erhält, daß es konjunktivisch und kombinatorisch als Doppelspiel betrieben wird, eine Tendenz zur Gleichmacherei. Beispielsweise wird alles Literarische trivialisiert, alles Triviale literarisiert. „Wissen" und „Leben" werden ironisch einander angenähert. Das überbrückt nicht ihre Kluft, sondern es demonstriert ihre Inkommensurabilität.

So wenig linear erzählt wird, so wenig wird noch Theoretisches explizit. Das ist nicht Willkür, sondern Folge des in der Zitathaftigkeit begründeten Doppelspiels. Aber auf vertrackte Weise wirkt Theoretisches mit. Das hat sich jedesmal, wenn im Rahmen dieses Aufsatzes die poetologische Komponente der Berner Prosa beigezogen wurde, gezeigt. Abschließend soll dies erörtert werden, wieder an einem Abschnitt aus ‚Wissen und Leben'.

Es ist von Hamlet die Rede, zunächst von ihm als Person. Auf die Literarität Hamlets als Figur und damit auch auf den Umkreis des Thematischen, das in diesem Zusammenhang zur Sprache kommt, wird beiläufig und ironisch verwiesen: „Übrigens ist das Hamletmotiv sicher ein riesiges." Der nächste Satz nimmt Bezug auf die vorgängigen Äußerungen über die Person Hamlet: „Fest steht jedenfalls, daß er sich häufiger, als ihm womöglich lieb gewesen sein wird, den Schweiß abwischen mußte." Der Aufwand, mit dem das thematisch Banale dieser Stelle formuliert wird, ist selbst auch Inhalt des Satzes, insofern in ihm das Prinzip der Konjunktivität umsprochen wird und auch insofern sich zeigt, wie sehr hier indirekt gesprochen, wie hier um den heißen Brei herumgegangen wird. Ein erzählerisch-methodischer Hinweis darauf findet sich sofort anschließend, wenn die Wiederaufnahme des Motivstranges Optik angezeigt wird:

„Allmählich komme ich nun zu dem Schaufenster zurück."

Durch das Wort „Allmählich" ist das diesem Satz Vorhergehende ins Zurückkommen einbezogen, und die Allmählichkeit des Zurückkommens wird auch stilistisch realisiert durch die bürokratische Formulierungsweise, mit der der nächste Satz beginnt, der für den Fortgang wichtiges Thematische ins Spiel bringt:

„Es betrifft dies ein Buchhandlungsschaufenster, worin sich die umliegende Welt, das Leben, das sich auf der Straße bewegte, treulich und malerisch abspiegelte."

Erst beim Zurückkommen ergibt sich jenes Schaufenster, das im ersten Satz von ‚Wissen und Leben' mit Literatur in Zusammenhang gebracht worden war, als Buchhandlungsschaufenster. Theoretisches wird sarkastisch umspielt, es geht schon hier andeutungsweise um die Widerspiegelungsqualität von Kunst („treulich und malerisch") die sogleich thematisiert wird:

„Ist vielleicht alles sich Widerspiegelnde um irgendwelche Nuancen deutlicher, als es in der sogenannten Wirklichkeit ist?"

Vor dieser Frage aber war in einer Beispielreihe das Sich-Abspiegelnde vorgeführt worden, das – ein Charakteristikum kombinatorischer Texte – keinerlei symbolische Repräsentanz hat:

„So ziemlich zehn Minuten lang genoß ich auf diese Art den Anblick abgebildeten und -gespiegelten Lebens: benachbarte Häuserfronten, Fuhrwerke, Autos, Motorräder, Kinder, Mädchen und Damen mit großem, ernsthaftem Betragen. Hinter mir ging z. B. eine bejahrte Frau vorbei, deren Gesicht ich, vorwärtsschauend, ihm also den Rücken kehrend, nach Herzenslust studieren, prüfen konnte."

Für das Doppelspiel ist entscheidend, daß jene zitierte Frage genau im Zwischenfeld steht zwischen diesem amüsanten Protokoll und dem Satz, welcher in scheinbar direktem Anschluß an die Frage in geradezu desillusionierender Weise auf die Widerspiegelungsqualität abhebt: „Im Schaufenster hingen Reproduktionen von bekannten Bildern [...]." Durch das Wort „Schaufenster" wird der Anschluß hergestellt, weil ja in ihm sich die Welt in jenem reduzierten Sinne „treulich und malerisch" abspiegelte, und durch die Worte „Reproduktionen von bekannten Bildern" werden „malerisch" und „treulich" zusammen mit dem Schaufenster als dem Widerspiegelungsmedium persifliert. Der Satz fährt fort mit der Beschreibung eines Beispiels, das selbst wieder Doppelspielcharakter hat (ähnlich dem von Hamlet als Person und literarische Figur). Es hieß, es hingen dort Reproduktionen von bekannten Bildern

„[...] wie z. B. der Holbeinsche 'Kaufmann', ich meine damit jenen Mann jüngeren Alters, der seltsam still und ruhig an seinem Zahl- und Rechnungstisch sitzt, einen Kontrakt, oder was es sein mag, papierig-glitzernd in der Hand haltend."

Es folgt eine detaillierte Beschreibung der Situation, welche das Holbein-Bild darstellt. Die Beschreibung schließt mit einem Hinweis, der sich auf sie selbst bezieht und das Doppelspiel durch den Rückgang darauf bestätigt, daß von Widerspiegelung einerseits und von Reproduktion andererseits die Rede war:

„[...] wobei ich natürlich unmöglich wissen kann, ob ich dies nun geziemend wiedergebe. Immerhin ist dieses Bild schön [...].“

Durch die Fortführung des Satzes wird abschließend deutlich, daß die drei Momente optische Widerspiegelung, Reproduktion, Wiedergabe – obwohl durch die Anspielung auf die Widerspiegelungstheorie zusammengehalten – als grundverschieden in den Text eingegangen sind. Das ist eine ironische Maßnahme Walsers gegen alle Fixierung. Auf die Divergenz, die das im verbalen Vortrieb so einheitlich scheinende Doppelspiel in sich entfaltet, läßt der Schluß des Satzes durch die Opposition von „Bild“ und „Gemälde“ nochmals aufmerksam werden:

„Immerhin ist dieses Bild schön; vor allem ist es ja ein weltbekanntes Gemälde, das irgendwelchem Museum einverleibt worden ist. Auffallend gediegen, gelassen blicken die Augen dieses Kaufmanns vor sich hin.“

Dieser Abschluß wirkt wie der Neuansatz einer unproblematischen Beschreibung, als wäre nichts gewesen. In der Tat haben wir es nicht mit einem theoretischen Exkurs zu tun gehabt, sondern mit Sprechmöglichkeiten von etwas Theoretischem, das thematisiert wurde – wobei zu bedenken ist, daß auch die Feststellung von Thematischem ein analytischer Notbehelf bleibt. Theorie läßt sich einem solchen Text nicht mehr entnehmen, kaum sogar Theoretisches, aber es spielte hinein. Sicher gehört es nicht zu den Aufgaben der Literaturwissenschaft, den Klartext von etwas zu schreiben, das gar nicht verschlüsselt ist, sondern komplex. Nur die Komplexität selbst gilt es zu analysieren, was hier freilich nur in abgekürztem Verfahren geleistet werden konnte.

Auch alles ins Spiel gebrachte Theoretische ist im übrigen der Destruktionstendenz dieser Texte unterworfen. Welche poetologische Valenz hat dann aber, was zur Sprache kommt? Weder in planer Wörtlichkeit noch symbolisch ist es jeweils zu ‘verwenden’. Man wird vielmehr zu dem Schluß kommen müssen, daß genaugenommen das Verfahren selbst – wenn man es nicht als ohne weiteres wiederholbares Muster, sondern als im Thematischen und Motivischen sich je und je aktualisierenden sprachlichen Strukturierungsversuch versteht – poetologische Relevanz besitzt. Das hat seinen Grund wesentlich in der Zitathaftigkeit des Sprechens. Diese und als ihre Folge das Doppelspiel sind nicht zurückzuführen auf einen Mangel des Autors an Sprachfertigkeit, sondern auf sein ständig präsentes Bewußtsein von der metaphorischen Beschaffenheit des Materials, mit dem er zu arbeiten hat. Sein ganzes Geschäft besteht zwar in dem Versuch, das Material liquide zu halten, aber gerade das verhilft ihm nur zum Weiterschreiben. Insofern kann Robert Walsers Spätwerk – wenn sich auch der Verdacht aufdrängen mag, es sei hier zu einem nahezu beliebigen Objekt für poetologische Denkspiele geworden – heute wahrgenommen werden, nicht weniger, aber auch nicht mehr geltend als eine dichterisch betriebene, tendenziell antidichterische Unternehmung.

Jochen Greven

Figuren des Widerspruchs

Zeit- und Kulturkritik im Werk Robert Walsers

Es ist ratsam, sich gewisse allgemeine Voraussetzungen unseres Umgangs mit Literatur ins Bewußtsein zu rufen, wenn man von Robert Walser spricht. Seinem Werk gegenüber fehlt es uns aus bestimmten historischen Gründen weitgehend an der von Konvention gestützten Vororientierung, die implizit mit angesprochen wird, wenn wir sonst einen Autornamen zitieren: eine vage wertende Einstufung, ästhetische oder weltanschauliche Klassifizierung. Dieses Werk war jahrzehntelang eine zunächst periphere, außenseiterische und dann geradezu eine apokryphe Erscheinung, und wenn es nun in den letzten zehn, fünfzehn Jahren aus der Verschollenheit wiederauftauchte, sich erst allmählich in seinem ganzen Umfang und seiner ganzen Eigenart darstellte und neu entdecken ließ, dann kann die Reaktion darauf nicht ohne Verlegenheit und Unsicherheiten sein. Ein Oeuvre steht plötzlich vor uns, das in der Gesamtausgabe zwölf Bände mit zusammen über 5000 Druckseiten einnehmen wird, ein eigentümliches und vielgestaltiges Oeuvre, das fasziniert und anzieht, aber auch Rätsel aufgibt und irritiert. Leser, Kritiker und Literaturwissenschaftler stehen vor einer Provokation seltener Art.

Soviel ist sicher: die früher hier und da laut gewordenen, allzu einfachen Verständigungsversuche über Robert Walser sind ungenügend. Er ist weder der naturselige Neuromantiker, dessen träumerische Jünglingshelden immerfort ein wunderbares Märchenland durchwandern, noch der mit Einfällen, Ironie und Sprachwitz geistreich jonglierende Meister des Feuilletons, der nimmermüde Schöpfer selbstgenügsamer Arabesken und Spielstückchen. Er ist weder ein Bruder im Geist des Wieners Peter Altenberg, noch geht seine Rolle darin auf, einen Vorläufer Kafkas darzustellen. Sein Schicksal als Mensch und Dichter enthält Tragik, aber es pathetisch als Hölderlin-Schicksal zu bezeichnen, heißt, es in seiner Eigenart recht oberflächlich verkennen.

Von dieser Gefahr ist auch ein Ansatz nicht frei, der sich auf die Aspekte von Zeit und Kulturkritik an diesem Werk stützen will. Es wäre leicht, wie es tatsächlich oft geschieht, nur Sätze hier und da aus Zusammenhängen zu lösen und zu zitieren:

„Es gibt ja allerdings einen sogenannten Fortschritt auf Erden, aber das ist nur eine der vielen Lügen, die die Geschäftemacher ausstreuen, damit sie um so frecher und schonungsloser Geld aus der Menge herauspressen können. Die Masse, das ist der Sklave von heute, und der einzelne ist der Sklave des großartigen Massengedankens“.[1]

---

1 Jakob von Gunten. Das Gesamtwerk, hrsg. v. Jochen Greven, Bd. IV. Verlag Helmut Kossodo, Genf/Hamburg 1966, S. 395. (Zitate im weiteren, sofern nicht anders angegeben, nach dieser Ausgabe, abgekürzt GW.)

Oder, als anderes Beispiel, diese Stelle, wo Walser von den Menschen seiner Zeit sagt:

„Geister und Götter reden nicht mehr zu ihnen. Auf lauter Sinnenlust und -kram fußt ihr Leben, das sich auf Vernunft und festen Gedanken an ein Höheres gründen sollt. Auf Emporkommen will es sich gründen, aber dieses leere Steigen von Stufe zu Stufe ist kein gerechter, ehrenwerter Grund und Boden [...] Da hoch oben, da ist nichts mehr. Den oberen Regionen ist sonderbarerweise die Entfaltung untersagt." [2]

Seine nicht selten traktathaften Formulierungen verführen dazu, eine Karikatur Walsers zu zeichnen – oder vielmehr nicht nur eine, sondern zwei verschiedene, recht gegensätzliche Karikaturen: die eines Revoluzzers, der dem Bourgois nach Kräften am Zeug flickt, und daneben die eines quietistischen Schöngeistes, der die Zeitverhältnisse als von Gott verhängtes Übel beklagt und in die Natur, in den Traum, in die idealisierende Kunst und zuletzt in ein sublimes Glasperlenspiel mit sinnenthobenen Worten ausweicht. Beides ist in kritischen Arbeiten über Walsers Werk auch schon geschehen: man hat es einerseits als satirische Demaskierung des spätbürgerlichen Gesellschafts- und Kultursystems, andererseits als Ausdruck einer masochistischen Unterwerfung unter die Herrschaft eben dieses selben Systems und damit als seine Affirmation angesehen, und solche konträren Argumentationen scheinen tatsächlich Belege im Werk zu finden.

Hier soll demgegenüber der Versuch unternommen werden, die scheinbaren Widersprüche dieses Werks im Verständnis seiner Zeitbezüge aufzuheben. Diese thematische Eingrenzung schließt andere Perspektiven auf die beigezogenen Erscheinungen nicht prinzipiell aus – gerade den Texten Walsers gegenüber bewährt sich nur ein synthetisches, komplementäre Ansätze fruchtbar machendes Interpretieren.

Walsers frühe Dichtungen, entstanden in jenen Jahren, als er selbst noch als „Commis" in vielerlei häufig gewechselten Stellungen arbeitete, scheinen freilich auf den ersten Blick der kritischen Reflexion auf Zeit und Gesellschaft völlig zu entbehren. Die Gedichte mit ihrer verinnerlichten stillen Sehnsucht, mit ihrer wehen Freude und süßen Klage, sprechen vor allem immer wieder von der Spannung zwischen dem einsamen Individuum und dem Kosmos der Natur. Die Märchenspiele ‚Aschenbrödel' und ‚Schneewittchen', in anderer Weise auch die beiden Prosa-Dramolette ‚Die Knaben' und ‚Dichter', zeigen zwar Gesellschaftliches, aber in einer zeitlosen Typik, die an den Hauptfiguren jeweils die Tragödie der Innerlichkeit zum Ausdruck kommen läßt: das Reine, Gute und Wahre, die Schönheit, die Liebe und die Kunst haben in der schlechten Welt keinen Ort und keine Dauer, sie sind nur im Traum, im Spiel der Phantasie gegeben. Nichts scheint hier auf eine bestimmte historische Situation zu weisen, auf Ursachen und Wirkungen, konkrete Probleme und mögliche Lösungen.

‚Fritz Kochers Aufsätze' allerdings sind deutlich in der Gegenwart angesiedelt – aber in ihnen fehlt nun das bestimmt kritische Moment, ihre spielerische Ironie ist total und läßt, was einmal so und nicht anders ist, im Medium der fingierten Schulaufsätze als heitere Farce erscheinen. Die meisten übrigen frühen Prosastücke schließlich, von Walser selbst als „lyrische Prosa" bezeichnet, sind teils wiederum burlesk-märchenhaft, teils satirisch in einem unpräzisen Sinn, indem sie etwa Kunst und Lebenswirklichkeit ironisch konfrontieren.

[2] Bedenkliches. GW VI, S. 105/6.

Eines der frühen Gedichte Walsers, mit dem Titel ‚Warum auch?‘, gibt der Grundhaltung von unüberwindbarer Skepsis direkten Ausdruck:

> Als nun ein solcher klarer
> Tag hastig wieder kam
> sprach er voll ruhiger, wahrer
> Entschlossenheit langsam:
> Nun soll es anders sein,
> ich stürze mich in den Kampf hinein;
> ich will gleich so vielen andern
> aus der Welt tragen helfen das Leid,
> will leiden und wandern,
> bis das Volk befreit.
> Will nie mehr müde mich niederlegen;
> es soll etwas
> geschehen; da überkam ihn ein Erwägen,
> ein Schlummer: ach, laß doch das.[3]

Hier stellt sich Walser der Frage nach dem kritischen Engagement, aber mit einer weichen, stillen Geste weist er sie ab, den kämpferischen Aufschwung damit ironisch desavouierend. Nehmen wir dazu jene Passage aus dem Roman ‚Der Gehülfe‘, wo der Erzähler rückblickend die einstige Menschheitsbegeisterung des Helden Joseph Marti erwähnt:

„Es war damals eine sonderbare Welt und Zeit gewesen. Unter dem Namen 'Sozialismus' hatte sich, einer üppigen Schlingpflanze ähnlich, eine zugleich befremdende und anheimelnde Idee in die Köpfe und in die Körper der Menschen, alte und erfahrene nicht ausgenommen, geworfen, dermaßen, daß, was nur Dichter und Schriftsteller hieß, und was nur jung und rasch bei der Hand und beim Entschluß war, sich mit dieser Idee beschäftigte.“[4]

Ohne Frage spielt hier Walser auf Stimmungen an, die er selbst – eben zu etwa der Zeit, als seine frühen Gedichte entstanden – durchlebt hatte. Aber jene „Idee“ und die sie begleitenden Gefühlsaufwallungen werden kritisch-distanziert und ironisch beschrieben, als etwas Unreifes, Oberflächliches, Geräuschvolles und Modisches.

Ist das die Resignation eines Enttäuschten, oder spricht sich hier einfach eine zugrundeliegende Gleichgültigkeit, ein tieferes Desinteresse an der Gesellschaft und ihren Problemen aus? Es könnte so scheinen, wenn man etwa, als positive Bestimmung möglichen Glücks des Menschen, das Gedicht ‚Welt‘ beizieht:

> „Es lachen, es entstehen
> im Kommen und im Gehen
> der Welt viel tiefe Welten,
> die alle wieder wandern
> und fliehend, durch die andern,
> als immer schöner gelten.
>
> Sie geben sich im Ziehen,
> sie werden groß im Fliehen,
> das Schwinden ist ihr Leben.
> Ich bin nicht mehr bekümmert,
> da ich kann unzertrümmert
> die Welt als Welt durchstreben.“[5]

[3] Gedichte. Neu hrsg. v. Carl Seelig. Verlag Benno Schwalbe, Klosterberg/Basel 1944, S. 30.
[4] Der Gehülfe. Dichtungen in Prosa Bd. 3. Hrsg. v. Carl Seelig. Holle Verlag, Genf und Darmstadt 1955, S. 141.
[5] Gedichte, S. 32.

Der kreisende Pluralismus von monadenhaften Innerlichkeiten, in den hier die Vorstellung von ‚Welt' als eines Ganzen und Verbindlichen aufgelöst wird, gewährt dem lyrischen Ich Selbstbestätigung; aber sie ist nur vom Gefühl getragen, von einem im Grunde völlig autistischen Selbstvertrauen und von einer Ästhetisierung des Erlebens. Der Umschlag in die Entzauberung, in Trauer und äußerste Verlorenheit ist denn hier in den Gedichten auch nie fern. In dem Dramolett ‚Schneewittchen', das als Fortsetzung das Leben „nach dem Märchen" darstellt, das Weiterlebenmüssen, findet dieser Umschlag wieder und wieder statt. Schneewittchen und die Königin werden von den Wellen eines bald unschuldigen, bald frivolen Spiels auf- und niedergeworfen, Anklage und Versöhnung, Erinnerung und Vergessen jagen einander bis in einen offenen und fraglichen Ausgang hinein.

In diesem Stück wird vielleicht am deutlichsten, was hinter Walsers gelegentlich so genanntem „lächelnden Anarchismus", hinter der Klage und oft anklingenden Todessehnsucht sowohl wie hinter den Bekenntnissen zu einer äußerst fragilen Möglichkeit autistischen Glücks in seinem Frühwerk zu sehen ist: ein Verlust, eine Depravierung des Individuums von allen gesellschaftlichen Sicherungen und Bindungen. Der Welt, der Gesellschaft, wie sie in den vier Dramoletten erscheint, fehlt alles Verbindliche und Substanzhafte. Bloße Konvention ist an die Stelle des Ethos getreten, die totale Herrschaft des Scheins erstickt jede Frage nach Wahrheit, nichts vermittelt mehr zwischen absoluten Werten oder Idealen und dem, was wirklich ist. So kann sich das Subjekt in dieser Welt auch nicht entäußern und handelnd verwirklichen, es bleibt in unaufhebbarer Entfremdung auf sich selbst, auf seine Innerlichkeit zurückgeworfen, oder es muß sich an das scheinhafte Äußere verlieren.

Indem Walser dieser Entfremdung dichterischen Ausdruck verleiht, und zwar oft als einer erlittenen, tragischen Situation, übt er zwar keine Gesellschafts- und Kulturkritik im eigentlichen Sinn, aber er weist auf eine erschreckende, alles zerfressende Krankheit hin, die das Leben der Gesellschaft erfaßt hat. Sie ist derart, daß für ihn auch von politischen und sozialen Veränderungen keine Heilung zu erwarten ist. Daß Walser seine Stücke zumindest später selbst so verstand, deutet die folgende Stelle eines Briefes an, mit dem er im Juni 1918 die achtzehn Jahre zuvor entstandenen, scheinbar so zeitfremden Dramolette dem Verlag Rascher zur Buchausgabe anbot: die Sammlung stehe, heißt es dort, „in mehr als einer Hinsicht zu all dem sonstigen Geschehen in einem originellen, durchaus unbeabsichtigten Zusammenhang".[6] Auch dem Verlag Huber gegenüber betonte er, der Inhalt stehe „in einem Zusammenhang mit allem, was heute rund um uns vorgeht"[7], womit er sich zweifellos auf den Weltkrieg, aber auch die revolutionären Bewegungen und sozialen Unruhen jener Zeit bezog.

Vielleicht dürften wir trotzdem sein Frühwerk nicht so bestimmt als Reflex einer historischen Krise interpretieren, würden nicht die folgenden Berliner Werke eine in dieser Hinsicht viel deutlichere Sprache reden. Die frühen Gedichte, Dramolette und auch einige Prosastücke gaben der Situation des Beiseitstehenden, Ausgegliederten einen bald klagenden, bald preisenden Ausdruck und ließen die Gesellschaft, die Zeit nur

---

[6] Brief, dat. 14. 6. 18 (unveröffentlicht).

[7] Brief, dat. 14. 6. 18 (unveröffentlicht).

schattenspielartig im Hintergrund auftreten. Die Romane nun wenden sich mit Entschiedenheit der Zeitwirklichkeit und Gesellschaft zu. In jeweils vertiefterer und künstlerisch entwickelterer Weise formulieren sie das Thema der Lebenssuche ihrer Helden, der Suche nach handelnder Selbstverwirklichung in der Welt. Und hier kommt es auch, in der Konsequenz der unausweichlichen Konflikte zwischen reiner Innerlichkeit und den Verhältnissen der Außenwelt, zu expliziter Kritik.

Simon Tanner, die zentrale Figur der ‚Geschwister Tanner' und, wie alle seine Helden, mehr oder weniger eine Maske Walsers, reflektiert die Existenz seiner Kollegen im Bankkontor:

„Warum gehen nur alle diese Leute, Schreiber und Rechner, ja sogar die Mädchen im zartesten Alter, zu demselben Tor in dasselbe Gebäude hinein, um zu kritzeln, Federn anzuprobieren, zu rechnen und zu fuchteln, zu büffeln und nasenschneuzen, zu bleistiftspitzen und Papier in den Händen herumtragen. Tun sie das etwa gern, tun sie es notgedrungen, tun sie es mit dem Bewußtsein, etwas Vernünftiges und Fruchtbringendes zu verrichten? [...] sie sind so geduldig dabei wie eine Herde von Lämmern, verstreuen sich, wenn es Abend wird, wieder in ihre speziellen Richtungen, und morgen, um dieselbe Zeit, finden sie sich alle wieder ein." [8]

Simon Tanner empört sich gegen dieses System, und es ist nicht etwa materielle Ausbeutung, was er ihm vorwirft, sondern zuallererst die Entwürdigung des Menschen, die Entfremdung und Verdinglichung aller Handlungen und Beziehungen, der Eintausch konkreter, lebendiger Gegenwart für fadenscheinige Versprechungen einer Zukunft. Er, Tanner, will eine Gegenwart haben und keine Zukunft – so tritt er aus allen Stellungen bald wieder hinaus, erfährt willig Armut und Erniedrigung und bleibt dabei doch immer der gleiche Hingebende, der sich der Welt „zum Verbrauchen anbietet".[9] Die Welt freilich kann mit einem Menschen, der so unbedingte Forderungen stellt wie er, wenig anfangen.

Auch abgesehen von den direkten Attacken auf die moderne Arbeitswelt, die im Ausschnitt der Kontore erscheint, ist Walsers erster Roman ein einziger Protest gegen die etablierte Gesellschaft seiner Zeit. Die kritische Haltung teilt sich bereits implicit in den Situationen und Schicksalen der Hauptfiguren mit, die alle, kämpfend oder leidend, gegen den Strom der Konvention anzuschwimmen haben. Wenn dieses kritische Moment von vielen Kritikern weniger bemerkt und hervorgehoben wurde, so deshalb, weil es insgesamt übertönt und überholt wird von dem gläubigen und selbstvertrauenden Impetus, den Walser seinem Helden mitgibt, und von der utopischen Vision eines wahrhaft menschlichen Lebens, die ihn beseelt.

Im ‚Gehülfen', hat sich die begeisterte rhetorische Attacke wieder in eine eher skeptische Ironisierung verwandelt, aber was man diesem zweiten Roman an unübersehbarer Gesellschaftskritik zu entnehmen hat, ist desto radikaler und umfassender. Der Niedergang eines bürgerlichen Hauses, den Walser seinen Protagonisten miterleben läßt, die Auflösung einer Familie, das unaufhaltsame Auseinanderfallen von Sein und Schein

---

[8] GW IV, S. 36/37.

[9] „Als ich noch eine bestimmte Sehnsucht trug, waren mir die Menschen gleichgültig und hinderlich, und ich verabscheute sie bisweilen, jetzt liebe ich sie, weil ich sie brauche und weil ich mich zum Verbrauchen ihnen anbiete." GW IV, S. 330.

im Bereich des Geschäfts wie in den menschlichen Beziehungen – das ist, bei aller seldwylischen Drolligkeit, mit der es geschildert wird, die Apokalypse des bürgerlichen Zeitalters, aufgezeigt an einem nur scheinbar idyllischen Einzelfall. Nur zu gerne überliefert sich der Held Joseph Marti selbst noch der Illusion des häuslichen Zusammenhalts, dem Anheimelnden vorindustriell-patriarchalischer Zustände und seiner eigenen dienenden Zugehörigkeit; der ironische Erzähler entlarvt gerade in solchen Momenten die Wahrheit der korrumpierten Verhältnisse, ihre brutale Inhumanität. Dem Gehülfen bleibt als positiver Lebensgrund schließlich nur die Solidarität mit den schon Ausgegliederten, den Outcasts der Gesellschaft wie seinem dem Trunk verfallenen Amtsvorgänger Wirsich.

,Jakob von Gunten' schließlich, der dritte der Romane, setzt in seiner Anlage eine totale Kritik an der Gesellschaft und ihrer Kultur schon voraus und formuliert sie beinahe nur noch beiläufig und rekapitulierend: in den Tagebucheintragungen des Helden, die den seltenen Konfrontationen mit der Außenwelt, der Welt außerhalb des rätselvollen „Instituts Benjamenta" folgen. Jakob ist bereits mit seinem Eintritt in diese Schule der Askese, des formalen Gehorsams und der totalen Reglementierung ein Revolutionär in paradoxem Sinn, ein freiwilliger Exilé der bürgerlichen Gesellschaft. Er hat sich entschlossen, wie er in seinem Lebenslauf schreibt, „von aller hochmütigen Tradition abzufallen", und „er versteht unter Stolz etwas ganz Neues, gewissermaßen *der Zeit, in der er lebt, Entsprechendes*".[10] Dieser Stolz zielt auf die Unterwerfung unter beliebigen äußeren Zwang, auf den fraglosen Dienst, die absolute Entsagung und Selbstaufgabe, denn dies sind die Grundsätze der Benjamentaschen Schule. Erst nach und nach wird in den Eintragungen Jakobs, in seinen Erlebnisberichten, Reflexionen und Wachträumen deutlich, was die Motive dieser rigorosen Umkehrung allen üblichen gesellschaftlichen Strebens sind.

Da wird zunächst der Bankrott der bürgerlichen Bildungsideale angezeigt: von den Lehrern, die der Schüler Jakob anfangs noch erwartet hatte, heißt es, sie schliefen, oder seien tot, oder nur scheintot, „oder sie sind versteinert, gleichviel, jedenfalls hat man gar nichts von ihnen".[11] Er stellt sich vor, wie sie in einem „extra für die Ruhebedürftigen eingerichteten Zimmer" [12], gleichsam museal konserviert, dahindämmern. Dem Pfarrer ruft er zu: „Es schadet nichts, daß Sie schlafen. Sie versäumen nur Zeit mit Religionsunterrichterteilen. Religion, sehen Sie, taugt heute nichts mehr. Der Schlaf ist religiöser als all Ihre Religion" [13], und dem Geschichtslehrer:

„Übrigens tun sie gut, zu schlafen. Die Welt dreht sich seit einiger Zeit um Geld und nicht mehr um Geschichte. All die uralten Heldentugenden, die Sie auspacken, spielen ja, wie Sie selbst wissen werden, längst keine Rolle mehr." [14]

Und wie sieht diese Welt aus, in deren Tun und Treiben die überkommenen Ideale ausgespielt haben? „Nichts, nichts Erstrebenswertes gibt es. Es ist alles faul" [15], predigt

[10] GW IV, S. 379 (Hervorhebung v. Verf.).
[11] GW IV, S. 337.
[12] S. Anm. 11.
[13] S. Anm. 11.
[14] GW IV, S. 387.
[15] GW IV, S. 395.

Jakobs Bruder Johann, der weltmännische Künstler, dem Jüngeren, der es indessen selbst längst begriffen hat. Geld allein hat in der verrotteten Gesellschaft noch reale Bedeutung, aber auch an ihm ist kein echter Wert: „Die Reichen, Jakob, sind sehr unzufrieden und unglücklich. Die reichen Leute von heutzutage: sie haben nichts mehr. Das sind die wahren Verhungerten.“ [16] Jakob lernt, von seinem Bruder eingeführt, Kreise von Künstlern und Gesellschaftsmenschen kennen. Er resümiert:

„Eigentlich gleichen sich die Leute, die sich bemühen, Erfolg in der Welt zu haben, furchtbar. Es haben alle dieselben Gesichter [...] Sie verachten niemanden, diese guten Leute, und doch, vielleicht verachten sie alles, aber das dürfen sie nicht zeigen und zwar deshalb nicht, weil sie fürchten, plötzlich etwa eine Unvorsichtigkeit zu begehen. Sie sind liebenswürdig aus Weltschmerz und nett aus Bangen.“ [17] „Es herrscht unter diesen Kreisen der fortschrittlichen Bildung eine kaum zu übersehende und mißzuverstehende Müdigkeit. Nicht die formelle Blasiertheit etwa des Adels von Abstammung, nein, eine wahrhafte, eine ganz wahre, auf höherer und lebhafterer Empfindung beruhende Müdigkeit, die Müdigkeit des gesund-ungesunden Menschen. Sie sind alle gebildet, aber achten sie einander? Sie sind, wenn sie ehrlich nachdenken, zufrieden mit ihren Weltstellungen, aber sind sie auch zufrieden?“ [18]

Dieser Welt gegenüber gibt es für Jakob nur zwei Alternativen: totale Macht oder absolute Unterwerfung. Die willen- und gedankenlose Hingabe des Selbst gewährleistet Unschuld, Zufriedenheit und Glück, denn sie stellt eine Verweigerung, eine Absage an das verderbliche Prinzip des Erfolgstrebens dar. Der Unterdrückteste und Besitzlose ist innerlich der Freieste und Reichste – Jakob erfährt diese Wahrheit an seinem Mitschüler Kraus, in dem sich der Geist der Benjamentaschen Grundsätze in Vollkommenheit verkörpert. Er selbst, der Denkspieler und leidenschaftliche Jäger nach Erfahrungen, geht freilich nicht wirklich im reinen Dienst und stummen Gehorsam auf: er kennt vielmehr auch deren Antithese – eben die Freiheit des Spiels, des Abenteuers, der völligen Bindungslosigkeit. In der Traumvision am Ende des Buches wird beides als dialektische Einheit umschlossen, wenn Jakob als Knappe seinen Herrn Benjamenta auf einer höchst abenteuerlichen Asienfahrt begleitet. Hier heißt es nun:

„Wir wanderten und trieben mit den Wüstenbewohnern Handel, und wir waren ganz eigentümlich belebt von einer kühlen, ich möchte sagen, großartigen Zufriedenheit. Es sah so aus, als wenn wir beide dem, was man europäische Kultur nennt, für immer, oder wenigstens für sehr, sehr lange Zeit entschwunden gewesen seien. ‘Aha’, dachte ich unwillkürlich, und wie mir schien, ziemlich dumm: ‘Das war es also, das!’“ [19]

Und als seien diese Worte noch nicht deutlich genug betont, sagt auch der Vorsteher gleich darauf noch einmal: „Der Kultur entrücken, Jakob. Weißt du, das ist famos.“ [20]

In diesem „der Kultur entrücken“ kommt Jakobs Suche nach wahrhaftem Leben, kommen seine Gesellschaftskritik, seine Verherrlichung des Unscheinbaren und Niedrigen und sein Abenteurertum zu bewußter, umfassender Formulierung.

---

[16] GW IV, S. 396.
[17] GW IV, S. 443.
[18] GW IV, S. 444.
[19] GW IV, S. 490/91.
[20] S. Anm. 19.

Die zeit- und gesellschaftskritische Thematik der Romane wäre, wenn es der Raum erlaubte, in den Prosastücken der Berliner Jahre Walsers weiterzuverfolgen: etwa in den kleinen und scheinbar so harmlosen Satiren aus der Welt des Stehkragenproletariats, in denen die Entfremdung des Menschlichen in der modernen „Leistungsgesellschaft" womöglich noch schärfer anvisiert wird als in ‚Geschwister Tanner' und ‚Der Gehülfe'. Andere Stücke lassen die Bourgeoisie mit ihren typischen Rollen und Konventionen, mit ihrer Vermischung von Lüge und Wahrheit, Dummheit und Wissen wie auf einer Bühne erscheinen – Robert Walser schreibt gerne Rollenprosa, um seine Ironie die Masken von innen her zersetzen zu lassen. In allen diesen Texten schwingt ein Ton mit, der genauestes, wachestes Gegenwartsbewußtsein ausdrückt – wenn es auch nicht immer so direkt ausformuliert wird wie in diesen Sätzen aus der Skizze ‚Berlin W':

„Die Gärten sind sauber, die Architektur ist vielleicht ein wenig drastisch, was kann mich das kümmern. Es ist ja heute jedermann überzeugt, daß wir Stümper sind im Großen, Stilvollen und Monumentalen, und wahrscheinlich deshalb, weil in uns zu sehr der Wunsch lebt, Stil, Größe und Monumentalität zu besitzen oder zu erzeugen [...] Unser Zeitalter ist entschieden das Zeitalter der Empfindlichkeit und Rechtlichkeit, und das ist doch sehr hübsch von uns. Wir haben Fürsorgeanstalten, Krankenhäuser, Säuglingsheime, und ich bilde mir gerne ein, das sei doch auch etwas. Wozu alles wollen? Man denke an die Schauder der alten Fritzen-Kriege und an sein – Sanssouci. Wir haben wenig Gegensätze; das beweist, daß wir uns danach sehnen, ein gutes Gewissen zu haben." [21]

Der Kontrast zwischen der Gegenwart, die als Zeitalter ohne Gegensätze, als Epoche einer nicht ganz vertrauenswürdigen Ausgeglichenheit erscheint, und Bildern aus der Geschichte, die das Schöne und das Häßliche, das höchste Verfeinerte und das Rohe, Brutale in wildem Nebeneinander zeigen, kehrt bei Walser mehrfach wieder, auch noch in der späten Prosa. Ein Beispiel dafür ist das grausig-schöne Wortgemälde eines Theaterbrandes zur Renaissancezeit [22], und „Renaissance" oder „renaissancehaft" ist in diesem Sinne überhaupt ein wiederkehrendes Stichwort für das, was der Gegenwart eben abgeht: die unverdeckten Spannungen und Widersprüche. In der Glosse ‚Lüge auf die Bühne' protestiert Walser gegen den Naturalismus des Theaters, das gierig nach Leben verlangt und dem Leben gleich werden will, während es sich doch gerade als Kunst vom Leben unterscheiden sollte:

„Die Sache ist die: je lebhafter und natürlicher es auf dem Theater aussieht, desto ängstlicher, behüteter, geärgerter und gepolsterter wird es im täglichen Leben ausschauen. Die Bühne übt, wenn sie Wahrheiten ausklopft, einen verschüchternden Einfluß aus; wenn sie aber, was sie etwa früher noch ein bißchen getan hat, goldene, ideale Lügen in großer, unnatürlich-schöner Form ausspinnt, so wirkt sie aufreizend und ermunternd und fördert wiederum die schönen, krassen Gemeinheiten des Lebens [...] Gebt acht mit euern ungezügelten Naturstücken, daß das Leben nicht eines Tages versickert." [23]

---

[21] Aufsätze. Dichtungen in Prosa Bd. 1. Hrsg. v. Carl Seelig. Holle Verlag, Genf und Darmstadt 1953, S. 106/7.

[22] Theaterbrand, in ‚Geschichten'. Dichtungen in Prosa Bd. 5. Hrsg. v. Carl Seelig. Holle Verlag, Genf 1961. S. 164–169.

[23] GW IV, S. 31.

Stellen wie diese könnten, wenn man sie mit der Kulturkritik oder geradezu Kulturfeindlichkeit, die im ‚Jakob von Gunten' Ausdruck findet, und mit anderen gesellschaftskritischen Äußerungen zusammensieht, Walser in einen bestimmten Ideologieverdacht bringen. Die Denunzierung der blassen und schwächlichen Gegenwart zugunsten einer größeren, kräftigeren Vergangenheit, das Liebäugeln mit „schönen, krassen Gemeinheiten des Lebens", der Ausbruch aus der Zivilisation, die antibürgerliche, dabei apolitische Haltung und ein Irrationalismus, der sich rauschhaft dem Vitalen anheimgeben möchte – das erinnert an jene schlechte Romantik, die sich, unter anderem unter Nietzsches Einfluß, bereits zu einem weltanschaulichen Syndrom verdichtete und den Faschismus gebar. Es fehlte hier nur noch die völkische, nationalistische Komponente.

Daß große Teile der Vulgärliteratur, aber auch nicht wenige Werke bedeutender Autoren der ersten Jahrzehnte unseres Jahrhunderts mit den Keimen dieses weltanschaulichen Irrationalismus infiziert waren (auch wenn die Autoren selbst den politischen Bewegungen, die dann daraus hervorgingen, mehr oder weniger kritisch gegenüberstanden), empfindet heute jeder aufmerksame Leser. Von Robert Walser aber wird man trotz des erwähnten Verdachts nicht das Gleiche sagen können. Zwar lassen die angeführten Züge sich sehr wohl als Spiegelungen jener Strömung verstehen, Walser – der nach eigenem Zeugnis mit Begeisterung Hamsun gelesen hatte – steht also mit seiner Gesellschafts- und Kulturkritik durchaus in der Zeit, und sein Werk spricht deren Sprache. Aber dieses Werk enthält zugleich auch das Gegengift, wenn man beim Bild der ideologischen Infizierung bleiben will: der Rekurs etwa auf geschichtliche Gegenbilder zur kritisch bedachten Jetztzeit ist immer höchst ambivalent. Walser bedient sich spielerisch der historischen Bühne, um der Gegenwart andere Kultur- und Gesellschaftszustände vor Augen zu führen, um das scheinbar so Unangreifbare der gegebenen Verhältnisse in Frage zu stellen, die Wirklichkeit mit Möglichkeiten zu überspielen. Er hütet sich aber, Geschichte „romantisch" zu verstehen und sich tatsächlich an eine gegenwartsferne Wunschvorstellung zu verlieren. Der Tausch der Zeiten, die historische Anspielung oder Verwandlung bleiben bei ihm ein Kostüm- und Kulissentrick, der als solcher stets im Text selbst desillusionierend entlarvt wird. Renaissance oder Mittelalter, biblische oder Märchenwelt werden nicht ohne den künstlerischen Neid des Spätgeborenen, aber immer mit Ironie zitiert.

Ähnlich verhält es sich mit dem irrationalen Moment seiner Kulturkritik. Zwar wird schon im Frühwerk, besonders etwa in dem Prosastück ‚Der Wald' in ‚Fritz Kochers Aufsätze', die Vorstellung einer dem menschlichen Denken und Begreifen transzendenten Lebensmächtigkeit beschworen, einer natura naturans, die den Menschen trägt und umfängt, von der ihn sein Denken und seine Kultur aber entfremden, so daß sie zum Gegenstand unstillbarer Sehnsucht wird. In dem zitierten Stück ‚Lüge auf die Bühne' heißt es dann vom „Leben", also von dem, was am Menschlichen Natur, Ursprünglichkeit ist, es sei „nur insofern unerschöpflich, als man es ruhig, flüssig und breit, wie einen wilden, schönen Strom seine natürliche Bahn weiterziehen läßt".[24] Die künstlerische Ausbeutung dieses Lebens müsse zu seiner Auszehrung führen – der Strom werde eines Tages versickern. In einigen Skizzen, die das Erlebnis der Großstadt in Straßenbildern

[24] GW VI, S. 30.

verdichten, zeichnet Walser andererseits das Bild einer neuen, zweiten Natur, er beschreibt den Umschlag der Stadtzivilisation in ein organisches, ja orgiastisches Massenwesen. So endet das Stück ‚Friedrichsstraße':

„Ein wollüstig auf und nieder atmender Körpertraum sinkt dann auf die Straße herab, und alles läuft, läuft und läuft diesem vorherrschenden Traum mit ungewissen Schritten nach." [25]

Im ‚Jakob von Gunten', wo die erwünschte „Gedankenlosigkeit", die Gewinnung eines neuen, vage erahnten Naturzustandes explizites Thema ist, wird jedoch völlig deutlich, daß Walser mit dem vulgären Vitalismus oder der trüben „Lebens"-Mystik anderer Autoren nichts gemein hat. „Wir vibrieren", schreibt Jakob von sich und seinen Mitschülern. „Unbewußt oder bewußt nehmen wir auf vieles ein wenig Bedacht, sind da und dort mit den Geistern, und die Empfindungen schicken wir nach allen möglichen Windrichtungen aus, Erfahrungen und Beobachtungen einsammelnd [...] Sind wir Produkte einer höheren Kultur, oder sind wir Naturkinder?" [26] Die Frage deutet die Aufhebung eines Gegensatzes an: höhere Kultur mündet hier in Natur, wie die fortgesetzte Reflexion Jakobs sich selbst aufhebt. (Wenn man Walser auf eine romantische Tradition verpflichten will, dann muß man am ehesten bei dem Friedrich Schlegel der Fragmente, oder auch bei Novalis anknüpfen – ohne daß sich eine nähere Kenntnis Walsers von ihren Werken nachweisen ließe.) Es geht gerade nicht um das antithetische Ausspielen des „Lebens" gegen den „Geist", der „Natur" gegen die „Kultur", sondern um ihr Gleichgewicht in der umfassenden Vorstellung des Humanen. Wenn diesem die verfestigten, abstrakten Formen und Konventionen der europäischen bürgerlichen Kultur entgegenstehen, dann trifft sie Walsers Kritik – dann ist der Ausbruch aus ihnen, die Befreiung die notwendige Lösung.

Die Befreiung, das hat man Walser wiederum vorgeworfen, stellt sich nicht als revolutionäre soziale Utopie dar, sondern – wo sie, wie am Ende des ‚Jakob von Gunten', einmal positive Gestaltung findet – nur in der Irrealität des Traums und in der Subjektivität individueller Gestimmtheit. Innerhalb dieser Medien aber zielt der Entwurf weiter als die politisch engagierte Sozialkritik, ist Walser radikaler und konsequenter als andere und nimmt, vor 1910, in vielem den Expressionismus mit seiner Suche nach dem „neuen Menschen" vorweg. Andererseits können sich seine radikale Kritik und seine Utopie häufig nur in Bildern mitteilen, die einen mythischen, also scheinbar rückwärts gewandten Anklang haben – das Märchen, biblische Motive werden zitiert, religiöse und magische Chiffren verwendet. Dabei werden diese Elemente jedoch immer deutlich „literarisiert", d. h. durch Sprache, Stil und Kontext als nur indirekt gültige, vergleichende und verweisende Kunstmittel gekennzeichnet und mit einem ganz neuen, modernen Gehalt versehen. Es ist gerade das Widerspiel von klarer, heller, ironisch getönter Ratio und lyrischem Gefühlsaufschwung, von abstrakter Spekulation und ganz konkreter, darum oft änigmatischer Bildhaftigkeit, das Walsers Werk so faszinierend macht – nicht aber das trübe Dunkel einer sektiererischen Mystik.

---

[25] Aufsätze. Dichtungen in Prosa Bd. 1. Hrsg. v. Carl Seelig, Holle Verlag. Genf und Darmstadt 1953, S. 103/4.

[26] GW IV, S. 420/21.

In gewissen Darstellungen des Werks Robert Walsers, fast kann man schon von einer Walser-Legende in diesem Sinne sprechen, ist mit dem Ende der Berliner Zeit, mit dem Jahr 1912, bereits der Gipfel seines Schaffens überschritten. Von einer schweren Krise, die er in dieser Zeit durchmachte, gewinnen wir auch aus eigenen Aussagen, die freilich bereits literarisch stilisiert sind, eine Ahnung. In psychiatrischer Ausdrucksweise wäre von einer depressiven Phase zu sprechen. Biographisch gehören dazu die Enttäuschungen, die die relativ erfolglosen Buchveröffentlichungen dem Autor brachten, die finanzielle Notlage und die gesellschaftliche Isolierung, in die er in jener Zeit aus vielleicht zum Teil selbstverschuldeten Umständen geriet. Aber wenn man in aller Konsequenz durchdenkt, was das Werk bis zu dieser Zeit aussagte, dann bedurfte es zu einer Krise keiner äußerlich-gesellschaftlichen oder endogen-psychischen Ursachen: die Diagnose der Zeit und der Gesellschaft, die Kritik der Kultur, die in diesem Werk geleistet war, lief, unter anderem, auf ein Ende der Kunst hinaus. In der humanen Utopie des ‚Jakob von Gunten' etwa war für Kunst, für Literatur kein Raum – und in der Gesellschaft, wie sie war, hob sich Literatur mit einem Buch wie diesem selbst auf, das als äußerstes Zeugnis eben noch unter raffiniertester Verwendung und Verwandlung traditioneller Kunstmittel zu gestalten war. Es zeigte, als zurückgelassenes Tagebuch, den notwendigen Ausbruch aus der europäischen Kultur an – nur folgerichtig wäre darauf eine Absage des Autors an die Literatur gewesen, etwa so, wie er sie später einmal als exemplarische Möglichkeit am Fall Rimbauds zu bedenken gab:

„er nahm sich vor, ein Beispiel zu geben, und er bewies, daß man der Literatur damit dienen kann, daß man ihr Zeit und Raum läßt, und der Gesellschaft damit, daß man sich so aufführt, daß sie sich etwas zu erzählen hat. Er machte sich legendär, wuchs für sein Volk zum großen Eindruck, zum Bilde des Mutes." [27]

Robert Walser war vielleicht nur zu bescheiden, um sich hier bereits „legendär" machen zu wollen – er fand einen Weg aus seiner Krise heraus, fuhr heim nach Biel und schrieb weiter. Was er nun schrieb, konnte indessen nicht mehr das gleiche sein wie zuvor. Es war, vor allem, die Restitution einer heilen Welt in gläsern-spröder, spielerisch-künstlicher Sprache: Naturschilderungen und idyllische Erlebnisberichte, zauberhafte Phantasien und seiltänzerische Humoresken. Zu unserem Thema, zur Zeit-, Gesellschafts- und Kulturkritik, scheint hier nicht mehr zu finden als gelegentliche Schimpfreden gegen die Unsitten des Zeitalters, gegen Prahlsucht und Profitstreben, Mitleidlosigkeit und dumpfen Egoismus. Robert Walser hatte die Rolle des naturfrommen Einsiedlers und Predigers in der Wüste aufgenommen, welt- und zeitfern, träumerischer Betrachtung und der Musik der Worte hingegeben. Es gibt zwar den einen oder anderen Text, der nicht in dieses Bild zu passen scheint, aber insgesamt bleibt die Bieler Prosa trotz vieler bezaubernder Passagen rätselhaft und oft befremdend, zumal in ihrer quietistischen Moralität und ihrem verklärenden Ästhetizismus.

„Das zarte Land mit seinen lieben, bescheidenen Wiesen, Häusern, Gärten erschien mir wie ein süßes Abschiedslied. Aus allen Seiten drangen uralte Klagen leidenden, armen Volkes tönend daher. Geister tauchten in entzückenden Gewändern groß, weich, gestaltenhaft auf. Die zarte,

---

[27] GW VIII, S. 235.

schöne Landstraße strahlte blau, weiß und goldig. Über die gelblich gefärbten, rosig angehauchten Armuthäuser, die der Sonnenschein kindlich-zärtlich umarmte, flogen, gleich Engelsbildern, die aus dem Himmel niederstürzen, Rührung und Entzücken. Hand in Hand im feinen Hauche schwebten Liebe und Armut. Mir war zumut, als rufe mich jemand beim Namen, oder als küsse oder beruhige mich jemand, Gott selbst, der Allmächtige, unser gnädiger Herr und Gebieter, trat auf die Straße, um sie unbeschreiblich schön zu machen [...] Alles Menschliche und Gegenständliche schien sich in eine von Zärtlichkeit erfüllte Seele verwandelt zu haben."[28]

Solches schwärmende Gefühl, das in der Gewißheit gipfelt, „daß der innerliche Mensch der einzige sei, der wahrhaft existiert"[29], solche Bezauberung und Beseelung, die alle Not und alles Leiden ausdrücklich durch den schönen verklärenden Schimmer versöhnen will, der aus der Gefühlserhebung ausstrahlt – kann das überhaupt, im Weltkriegsjahr 1916, Inhalt gültiger Dichtung sein? Was hat es mit dieser Religiosität auf sich, die, wie sich zeigen ließe, dem subjektiven Gefühlskult, der Naturanbetung und einem quasi franziskanischen Ethos der Armut zwar ihre erhabenen Chiffren leiht, die aber als Glaube, als transzendente Dimension kaum im Werk anzutreffen ist?

Es wäre leicht, den größten Teil von Walsers Bieler Prosa einer verwerfenden Kritik zu unterziehen, wenn man von Literatur fordert, sie solle sich der Zeit und ihren Problemen verantwortlich erweisen, allgemeinverbindliche Einsichten oder gar Lösungen vorbringen und sich in Stil und Sprache dem anpassen, was als progressive Kultur gilt. Die Kritik wäre zu leicht – sie träfe Walser nicht, zielte an seinem Werk und der künstlerischen Haltung, in der es sich begründet, vorbei. Denn diese seine Haltung war in jenen Jahren von einer solchen Folgerichtigkeit und Unbeirrbarkeit, daß man nicht von einem gelegentlichen Versagen, einer Schwäche, einer Flucht sprechen kann. Man muß vielmehr erkennen, daß Walser mit seinem Bieler Schaffen so folgerichtig die Konsequenz aus dem zog, was sein früheres Werk an Kritik der Kultur enthielt, wie er den Weltkrieg als logische Konsequenz des Gesellschaftszustandes ansehen mußte, den er durchschaut und kritisch dargestellt hatte. Er erhoffte nichts von politischen Aufrufen pazifistischer Schriftsteller. „Wenn die Welt aus den Fugen ist", schrieb er 1917 an Hermann Hesse, „so nützt die Anstrengung von zwanzigtausend tollen Hamleten wenig oder nichts."[30] Aber er konnte noch weniger von einer realistischen, für den Tag sich engagierenden Literatur erhoffen. Die Krise der Zeit war für ihn nicht eine Frage von schlechten Gesinnungen oder mangelnder Verständigung, sondern sie saß tiefer, so tief, daß sie ihm als Autor die Möglichkeit entzog, Literatur zu schreiben, die den Erwartungen des Publikums und der Kritiker entsprach.

So wie die Bewegung des Dada die bürgerliche Kultur aus zeitkritischen Impulsen heraus zu liquidieren sich vornahm, so zog der Einzelgänger Robert Walser sich aus dieser Kultur zurück, um in asketischer Abgeschlossenheit eine Sprachkunst des reinen idealen Scheins zu pflegen, eine in den Motiven eher triviale, in Form und Sprache aber höchst stilisierte, höchst künstliche und ihre ornamentale Künstlichkeit auch gar nicht verschweigende Literatur, deren innere Struktur er sich zu seiner eigentlichen Ausdrucks-

[28] Der Spaziergang. GW III, S. 256/7.

[29] S. Anm. 28.

[30] Postkarte, mit Poststempel 15. XI. 17 (unveröffentlicht).

ebene wählte. Sie war seine Weise des Protestes, der Demonstration gegen die Zeit. Dem Krieg stellte er nicht mehr, aber auch nicht weniger als seinen Traum von einer schöneren, besseren Welt entgegen:

„Freundlich sind dort die Menschen. Sie haben das schöne Bedürfnis, einander zu fragen, ob sie einander unterstützen können. Sie gehen nicht gleichgültig aneinander vorbei, aber ebensowenig belästigen sie einander. Liebevoll sind sie, aber sie sind nicht neugierig. Sie nähern sich einander, aber sie quälen einander nicht.“ [31]

So beginnt das Prosastück ‚Phantasieren‘, das Walser 1915 der Zeitschrift ‚Zeit-Echo‘ einsandte, als diese ihn neben anderen Autoren aufgefordert hatte, zum Kriegserlebnis Stellung zu nehmen. Vielleicht belächelte mancher ein so zartes, so naiv rührendes Manifest – Walser selbst sprach später mit Selbstironie von dem ‚Hirtenbübeligen‘ in seinen Bieler Arbeiten, auch von seiner Sorgfalt als „Ästhet, der sich wegen Satzwendungen schier Locken ausriß“.[32] Für ihn war es die einzig mögliche Antwort auf die aus den Fugen geratene Welt, und er fand immerhin auch hier und da Zustimmung, wie etwa in einer Besprechung Hermann Hesses aus dem Jahr 1918:

„Wenn solche Dichter wie Walser zu den ‘führenden Geistern’ gehören würden, so gäbe es keinen Krieg. Wenn er hunderttausend Leser hätte, wäre die Welt besser. Sie ist, sei sie wie sie wolle, gerechtfertigt dadurch, daß es Leute wie den Walser gibt.“ [33]

Aber die Rolle des Wanderers und Träumers, der der Welt vom Glück im Kleinen und der Liebe in allen Dingen Kunde gibt, war nicht die letzte Figur des Widerspruchs in Walsers Werk. Von 1921 an, als er in Bern lebte und sich darein ergab, nur mehr als Feuilletonist zu einigen Erfolgen zu gelangen, erarbeitete er sich aus einer gewandelten Situation heraus noch einmal einen neuen Stil und ganz neue literarische Formen innerhalb seiner Gattung des Prosastücks. Das Oeuvre dieser Berner Jahre ist so umfangreich und vielgestaltig, dabei häufig so schwierig zu interpretieren, daß wir es nur in einigen seiner Facetten anleuchten können.

Hier in der Berner Prosa ist die Zeit-, Kultur- und Gesellschaftskritik wieder explizites Thema Walsers, besonders in den sogenannten ‚Essays‘, den Texten von mehr reflexivem, betrachtendem, aphoristischem als erzählerischem oder lyrischem Gehalt. Schon mit dem Begriff „Essay“ gerät man aber leicht in eine Falle, wie es deren im Umkreis von Walsers Werk viele gibt: denn diese Aufsätze sind keineswegs diskursive Abhandlungen, theoretische Erörterungen im üblichen Sinn, sondern eher Spaziergänge im Inwendigen (George C. Avery machte zuerst auf die tatsächliche strukturelle Ähnlichkeit der Montagen von Gedanken und Impressionen, Erinnerungen und Assoziationsreihen zu den Wanderungsberichten der Bieler Zeit aufmerksam.) Der abstrakte Begriff wird, indem Walser ihn in das Mosaik eines Textes einbaut, zu einem Konkretum, einem dinglichen Gegenstand, seine gedankliche Verknüpfung zur Figur in einem Wortballet. Das soll nicht heißen, daß die Begriffe und Aussagen in Walsers Texten nichts zu bedeuten hätten und in ornamentalen Funktionen aufgingen – sie verlieren aber, indem Walser die ihnen innewohnende Tendenz zur Verdinglichung durch sein Spiel mit ihnen

[31] GW VI, S. 167.
[32] Die Ruine. GW VIII, S. 354.
[33] Neue Zürcher Zeitung, Nr. 2222, 25. Nov. 1917.

bewußt macht, ihre Eindeutigkeit und entziehen sich in mokanter Weise dem Zugriff des Verstehens.

Walsers Essays sind eher Parodien auf den Essay. In der Parodie aber vollzieht sich, was Walser selbst einmal das Wecken „irgendwelcher unbekannten Lebendigkeit“ [34] in der Sprache nannte: die verdinglichten, verfremdeten Worte gewinnen eine neue Unschuld. Wir können sie nicht mehr als bequeme, abgegriffene Scheidemünzen der Kommunikation einsammeln und in die Tasche stecken, sondern müssen sie neu entdecken, neu bewerten, müssen alle ihre Zusammenhänge abtasten, ihre Reizkomponenten schmecken und uns auf das Beziehungsmuster, in dem Walser sie uns vorführt, unseren eigenen Reim machen. Dabei kann es geschehen, daß wir uns einer Sentenz vertrauensvoll anheimstellen, bis wir in einem anderen Text, in anderen Zusammenhängen, einer Aussage von offenbar genau entgegengesetzter Bedeutung begegnen. Solche Widersprüche zeigen aber nur wieder an, worum es Walser geht: im spontanen, aber dabei sehr reflektierten Spiel mit der Sprache über Sentenzen, d. h. fixierte, verdinglichte Aussagen hinauszugelangen zu einer offeneren Weise des Erkennens und Sagens.

An dem Prosastück ‚Minotauros‘ möchte ich versuchen, die Eigenart solcher Texte Walsers und die Möglichkeiten ihrer Interpretation zu demonstrieren, und dabei wird sich auch noch einmal die kritische Stellung Walsers zur Kultur der Zeit abzeichnen.

„Bin ich schriftstellerisch wach, so gehe ich achtlos am Leben vorbei, schlafe als Mensch, vernachlässige vielleicht den Mitbürger in mir, der mich sowohl am Zigarettenrauchen und Schriftstellern verhindern würde, falls ich ihm Gestalt gäbe. Gestern aß ich Speck mit Bohnen und dachte dabei an die Zukunft der Nationen, welches Denken mir nach kurzer Zeit deshalb mißfiel, weil es mir den Appetit beeinträchtigte. Daß dies hier kein Seidenstrumpfaufsatz wird, freut mich und wird, wie ich mir vorstelle, vielleicht einem Teil meiner geneigten Leser ausnahmsweise angenehm sein, da dieses beständige Mädelmiteinbeziehen, dieses unaufhörliche Frauennichtaußerbetrachtlassen einer Eingeschlafenheit ähnlich sein kann, was von jedem lebhaft Denkenden wird zugegeben werden können. Beschäftigt mich nunmehr die Frage, ob Langobarden usw. irgend etwas wie Bildung besaßen oder nicht, so bewege ich mich vielleicht auf Wegen, für die nicht jedermann sofort Augen hat, indem ja kaum eine Weltgeschichtsphase so befremdend anmutet wie die Völkerwanderungszeit, die mich aufs Nibelungenlied bringt, das uns Übersetzungskunst zugänglich machte. Mit dem Nationenproblem im Kopf herumlaufen, bedeutet das nicht, einer Unverhältnismäßigkeit zur Beute geworden zu sein? Millionen von Menschen so mir nichts dir nichts miteinbeziehen, das muß das Gehirn belasten! Indes ich dasitze und alle diese lebendigen Menschen zahlenmäßig, gleichsam kompanieweise, in Betracht ziehe, hat vielleicht einer dieser sogenannten vielen insofern geistig geschlafen, als er hemmungslos draufloslebte. Vielleicht ist's möglich, daß Wachende von Schlafenden für schläfrig gehalten werden.

Im Gewirr, das vorliegende Sätze bilden, meine ich von fern den Minotauros zu hören, der mir weiter nichts als die zottige Schwierigkeit darzustellen scheint, aus dem Nationenproblem klug zu werden, das ich zugunsten des Nibelungenliedes fallenlasse, womit ich gleichsam ein mich belästigendes Etwas kaltstelle. Ebenso denke ich alle Langobarden in Ruhe, will sagen, schlafen zu lassen, denn ich bin in vollkommener Klarheit, daß eine gewisse Sorte von Schlaf nützlich ist, einzig schon, weil er ein spezifisches Leben führt. Um des bißchen Glückes willen scheint es mir um Seidenstrumpfdistanz zu tun zu sein, die ich mit der Distanz zur Nation ver-

---

[34] Meine Bemühungen. GW X, S. 432.

gleichen möchte, welch letztere vielleicht mit einer Art von Minotauros Ähnlichkeit aufweist, den ich gewissermaßen meide. In mir bildete sich die Überzeugung aus, daß mich die Nation, die für mich etwas wie ein Wesen ist, das aussieht, als fordere es mancherlei von mir, am besten versteht, d. h. am ehesten billigt, wenn ich sie anscheinend unbeachtet lasse. Brauche ich dem Minotauros Verständnis entgegenzubringen? Weiß ich denn nicht, daß er hiedurch fuchsteufelswild wird? Er bildet sich ein, ich vermöge ohne ihn nicht zu sein; die Sache ist die, daß er Ergebenheit nicht verträgt, wie er z. B. Anhänglichkeit zu mißverstehen geneigt ist. Ich könnte die Nation auch als mysteriösen Langobarden betrachten, der mir um seiner, wie soll ich sagen, Unerforschtheit willen, zweifellos einigen Eindruck macht, was meiner Ansicht nach vollauf genügen dürfte.

Alle diese irgendwie aufgerüttelten Nationen stehen ja wahrscheinlich vor den und den, dank- oder undankbaren Aufgaben, was für sie außerordentlich gut ist. Ich meine, daß man vielleicht nicht allzu sehr sein soll, was man ist, lieber nicht zu stark von Tauglichkeit strotzen. Das auf einen sanftgewölbten Hügel gebettete Taugenichtsproblem ist vielleicht einiger Beachtung wert. Aus dem regelmäßig atmenden Inhalt des Nibelungenliedes ragen Recken empor, und ich kann dem Gedicht, dessen Entstehung eigentümlich ist, meine Achtung nicht versagen.

Wenn ich, was mir hier aus Wissen und Unbewußtheit entstanden ist, für ein Labyrinth halten kann, so tritt ja nun der Leser gleichsam theseushaft daraus hervor.“ [35]

Auf den ersten Blick handelt es sich bei diesem Text um eine bunte Verkettung von heterogenen Einfällen und Assoziationen, und die Schlußpointe, dieses disparate Wortmosaik als Labyrinth zu deklarieren, scheint nur ein weiterer geistreicher Einfall des Autors, der seinen Leser mit lauter Pseudoproblemen an der Nase herumgeführt hat. Ist die Komposition von Absicht geleitet oder vom Zufall bestimmt? Tatsächlich schrieb Walser ein Prosastück wie dieses vermutlich in einem Zuge, vielleicht in ein oder zwei Stunden, nieder – ohne Vorstudien, allein unter der Eingebung des Augenblicks. Falls er dabei der Logik eines bestimmten Zusammenhanges folgte, hat er offenbar dessen Spuren sorgfältig verwischt, denn das Ergebnis ist ein hermetisches Rätselgebilde aus mythischen, historischen, politischen, literarischen und daneben wieder provozierend trivialen Motiven. Aber als reines Bewußtseinsprotokoll, als Notierung des zufälligen Ablaufs von Gedankenketten bleibt der Text erst recht unglaubhaft. Trotz dieser Ungewißheiten übt er auf viele Leser und Zuhörer ganz unmittelbar eine starke Faszination aus. Es ist also offenbar müßig, nach dem Verhältnis von Absicht und Zufall bei seiner Herstellung zu fragen – eher sollten wir versuchen, das Rätsel, wenn es ein solches ist, zu lösen.

Das Verschlüsselte des Textes besteht bei näherem Zusehen darin, daß hier in geläufige logische Strukturen, in antithetische Setzungen, synthetische Brücken, in Begründungen und Folgerungen, Einräumungen und Ausschließungen Begriffe eingesetzt sind, die undurchsichtig oder zumindest sehr vage in ihrer Bedeutung bleiben. Sie wirken wie Chiffren für irgend etwas, verweigern sich aber der Übersetzung in geläufige Ausdrücke und lassen sich offenbar auch schwer umschreiben. Was ist ein „Seidenstrumpfaufsatz“? Was stellen hier „Langobarden“ dar? Selbst das „Nationenproblem“, dieser geläufige, ganz rationale Begriff, wird innerhalb dieses Kontextes zu einem in sich verschlossenen Wortkörper, und zwar umso mehr, je häufiger er anklingt.

---

[35] GW IX, S. 198–200.

Achten wir genauer auf den Bau, die Struktur des Textes, die Bedeutungsfragen zurückstellend, so kommen wir zu der überraschenden Feststellung einer strengen Regelmäßigkeit. Das Stück gliedert sich in drei Abschnitte und den Schlußsatz. Der erste Absatz hat innerhalb des ganzen Stücks den Charakter einer Exposition, führt aber zugleich eine in sich zurücklaufende Bewegung vor: drei antithetisch gebaute, parallel gestellte Sätze jeweils neuen Inhalts treffen vorläufige Feststellungen, die offenbar weiter zu bedenken sind. Daran schließt sich die flüchtige Behandlung, eher nur das Anschneiden einer weitläufigen Frage an. Nun wendet sich die in Bewegung geratene Reflexion auf einen Gegenstand des zweiten Einleitungssatzes, das „Nationenproblem", zurück, jedoch so, daß nicht dessen Inhalt, sondern sein Bedenken zum Problem gestellt ist. Dessen offen bleibende Erörterung führt zur Wiederaufnahme der Gegensatz-Metaphern von „Schlaf" und „Wachen" aus dem ersten Satz, womit sich eine Verknüpfung der vorher unvermittelten Feststellungen ergibt und zugleich ein ganzer Kreis schließt.

Der zweite Absatz setzt die Denkbewegung folgerichtig auf der nun bereits vorbereiteten höheren Stufe der Reflexion fort: der Inhalt des ersten wird insgesamt überblickt, jedoch als „Gewirr", und in dessen Zentrum der „Minotauros" vermutungsweise ausgemacht. In einer Reihung wiederum untereinander ähnlicher Sätze sagt sich das Ich des Textes von den Gegenständen los, die die Exposition seinem Bedenken vorlegte: dem „Nationenproblem", dem „Langobarden", den „Seidenstrümpfen". Es folgt die Auseinandersetzung mit dem „Minotauros" selbst, eine Praeteritio, denn indem er unbeachtet gelassen werden soll, wird er doch indirekt durch Vergleich und Erörterung seines Verhaltens beschrieben und bewältigt.

Der dritte Absatz besteht aus vier parallelen Feststellungssätzen, die formal der Einleitung des Prosastücks ähneln: als beruhigende conclusio bilden sie das Echo der provozierenden expositio, wenn auch von den Themen verbaliter nur noch das „Nationenproblem" und das „Nibelungenlied" wiederaufgenommen werden, und klingen sanft kadenzierend in einer Reverenzformel aus – „ich kann dem Gedicht, dessen Entstehung eigentümlich ist, meine Achtung nicht versagen". Der Schlußsatz endlich überschaut noch einmal von überlegenem Blickpunkt das ganze „aus Wissen und Unbewußtheit" entstandene Stück, hält es für ein Labyrinth und entläßt den Leser „theseushaft" daraus.

Dieser Schlußsatz ist offenbar doch mehr als eine geistreiche Pointe: das mythische Bild ist durchaus durchgehalten, dem Eintreten in das Labyrinth im ersten Absatz folgt im zweiten die Vermeidung und damit in gewissem Sinn Besiegung des Minotauros, im dritten aber die Rückkehr, gewissermaßen das Wiederaufspulen des sprachlichen Ariadnefadens. Der Leser, der sich mit dem Ich des Textes verband und mit ihm den Windungen des Weges einwärts und wieder auswärts folgte, ist mit ihm auch Theseus, der den Minotauros überwand.

Was aber war nun der Minotauros in dieser Fabel? Im zweiten Absatz wird er als die „zottige Schwierigkeit [...], aus dem Nationenproblem klug zu werden" erklärt. Ferner aber wird ihm die Nation auch direkt verglichen, in ihrem an das Ich Forderungen stellenden Charakter. Die gesuchte Distanz zur Nation ist andererseits der „Seidenstrumpfdistanz" analog, und sie selbst ist drittens nochmals mit dem „mysteriösen Langobarden" zu vergleichen. Wenn wir nun eine Dechiffrierung versuchen, werden sich zunächst die „Seidenstrümpfe" als erotisches Pars pro toto ergeben – die im ersten Absatz behauptete literarische Enthaltsamkeit in Hinblick auf „dieses beständige Mädelmiteinbeziehen, dieses unaufhörliche Frauennichtaußerbetrachtlassen" belegt die Deutung hinreichend und grenzt die Haltung des Ich noch genauer ein: Verweigerung gegen die Macht des Erotischen, besonders in der Literatur.

Das „Nationenproblem" wurde eingeführt als ein Denken „an die Zukunft der Nationen". Im dritten Absatz ist von „allen diesen irgendwie aufgerüttelten Nationen" die Rede. Nehmen wir die Entstehungszeit des Textes hinzu, vermutlich 1927, so ist uns ziemlich deutlich, auf welche politisch-weltanschauliche Erscheinung Walser hier anspielt: auf den völkisch betonten Nationalismus und den Faschismus. Die historische Dimension wird durch den dreimal anklingenden Akkord zum „mysteriösen Langobarden" bezeichnet. Das erste Mal fragt das Ich nach der „Bildung" jener Stämme aus der Zeit der Völkerwanderung, aber eben diese Frage führt in einen labyrinthischen Strudel hinein – bei der zweiten und dritten Erwähnung wird der „Langobarde" achtungsvoll seinem historischen Schlaf, resp. seiner eindruckerweckenden Unerforschtheit überlassen.

Was Walser mit „Seidenstrumpfdistanz" bezeichnete, war bereits ein komplexes Muster von Verhaltensweisen und Denkrichtungen. Bei der Distanz zum „Nationenproblem" oder zur Nation selbst ist die begriffliche Fixierung noch schwieriger: die innere Reserve eines weltbürgerlich denkenden Schweizers gegenüber gewissen Formen von vaterländischem Patriotismus gehörte hierzu vermutlich ebenso wie das Mißtrauen gegenüber den militanten völkisch-nationalistischen Bewegungen in Italien, in Deutschland und anderswo in der Welt, und dahinter steht noch allgemeiner, noch grundsätzlicher die Verwahrung gegen die Ansprüche, die Kollektive überhaupt an das Individuum stellen, ja nicht nur gegen die disziplinarischen oder fiskalischen Ansprüche, sondern schon gegen die Determination durch die historische und genealogische Zugehörigkeit. Wenn das Ich des Textes dem Langobarden zunächst mit der Frage nach seiner Bildung zusetzen will, also das Argument der Kultur gegen den Komplex Nation und Geschichte ausspielt, bewegt es sich in gefährlichen Konfliktbereichen. Allein die unkritische Anerkennung der geschichtlichen Wirklichkeit gewährleistet den Frieden. So wird auch den nationalen Energien im dritten Absatz die Erfüllung in passenden Aufgaben gewünscht, mit der einschränkenden Mahnung, „daß man vielleicht nicht zu sehr sein soll, was man ist". Der Hypertrophie des Nationalen, oder des Kollektiven überhaupt, setzt Walser das „auf einen sanftgewölbten Hügel gebettete Taugenichtsproblem" entgegen, den provokatorischen, selbstevidenten Wert des Unnützen, Nicht-Verwertbaren, der individuellen Freiheit in ihrer ärmsten und zugleich reichsten Gestalt.

Die zweimalige, hervorgehobene Anspielung auf das Nibelungenlied bleibt vielleicht das in diesem Text am schwersten, weil in vielfacher Weise deutbare Motiv. Es hat eine historische Komponente, die es den „Langobarden" assoziiert, es hat aber auch eine literarische Bedeutung, die Walser offenbar besonders betont. Will er andeuten, daß es letztlich die künstlerischen Denkmäler sind, die uns Geschichte, d. h. nationales Sein in ihrer spezifischen Tradition vergegenwärtigen? Oder deutet er hier, indem er sich auf den Inhalt des Nibelungenlieds bezieht, auf die historische Vergänglichkeit des Nationalen, auf das Risiko des Untergangs hin? Im dritten Absatz des Textes erweist er indirekt seine Achtung den „Recken“, die aus dem „regelmäßig atmenden Inhalt“ emporragen. Damit parallelisiert er den gerade zuvor erwähnten Taugenichts diesen Helden einer fernen Epoche und läßt ihn als Held unserer Zeit erscheinen. Ist das literarische Denkmal ihm also hier nur Folie für die Deutung der Gegenwart? Ich würde diese Fragen nicht entschieden zu beantworten wagen.

Im Minotauros fallen die Macht des Erotischen und die Macht des Völkischen, Kollektiven samt seiner geschichtlichen Dimension zusammen, und seine verschlingende Gefährlichkeit betrifft besonders das Denken, denn er ist ja auch die „zottige Schwierigkeit“, aus einem bestimmten Problem klug zu werden – eben dem „Nationenproblem“. Insofern sitzt er wirklich im Zentrum des Labyrinths, wenn Walsers Sätze ein solches darstellen. Man wird ihm aber nicht beikommen, wenn man nicht zuvor den Gegensatz von „Schlafen“ und „Wachen“ bedacht hat, der im ersten Absatz dreimal angesprochen wird und wenigstens im zweiten noch einmal wörtlich anklingt. „Bin ich schriftstellerisch wach, so gehe ich achtlos am Leben vorbei, schlafe als Mensch [...]“, beginnt der Text. Der „Schlaf“ läßt sich in Walsers Werk schon seit dessen Anfängen als besonders bedeutungsvolle Chiffre bestimmen, und er ist, besonders im Spätwerk, mehr als eine Metapher: in umfassender Weise steht er für eine ganze Dimension der menschlichen Existenz, die Zugehörigkeit zum Natürlichen, Vitalen, bezeichnet also das der Ratio, dem Bewußtsein Entgegengesetzte. In der Berner Prosa, und besonders hier im Prosastück ‚Minotauros‘, wird dabei aber eine dialektische Struktur deutlich: Der Wache ist vom Schlaf umfangen, der Schlafende kann, offenbar mit Recht, die Wachenden für schläfrig halten und sich insofern seinerseits als wach erweisen.

Eine Parallele bildet die Dialektik vom Licht und Dunkel: „Ich kann versichern, daß das Licht schläfrig macht, das starke, hohe, große Schwarz weckt auf. Licht glitzert so. Undurchdringliches Dunkel wünscht man zu durchdringen. Schläfern uns die Zivilisation, die Bequemlichkeit, der Luxus ein? Ist das Naturhafte das Aufrüttelnde?“ [36] So schließt das Prosastück ‚Nachtgedanken‘, wahrscheinlich zwei Jahre früher als der ‚Minotauros‘ entstanden. Die Parabel ‚Die nie fertig werden‘, eher etwas jünger als dieser Text, endet mit den Sätzen: „Warum kann es immer nur in der Finsternis und nicht im Licht ein Licht geben? Ist's manchmal zu hell in uns?“ [37]

Hier stoßen wir auf eine Grundvorstellung Walsers: das Licht, das nur in der Finsternis Licht ist, der Wache, der nur partiell, nur innerhalb seiner schläfrigen Umfangenheit wach ist, die Freiheit, innerhalb derer Unfreiheiten existieren, wie es im ‚Freiheitsaufsatz‘ [38] heißt. Es handelt sich nicht um einen einfachen Dualismus, sondern innerhalb dieses Dualismus kommt es fortwährend zu einem dialektischen Umschlag. (Ihn führt Walser auch an Rollentypen vor, etwa in der Geschichte vom Krieg der Lauten und der Leisen, in ‚Eine Ohrfeige und Sonstiges‘: „Gönnt ein Leiser einem Lauten den Brustton, so fühlt das der Träger der Lautheitsidee und wird ihr untreu, und finden die Lau-

---

[36] GW VIII, S. 171.
[37] GW IX, S. 225.
[38] GW IX, S. 206.

ten die Leisen nett, so fangen diese zu schwatzen an wie Spatzen."[39]) Man könnte an das Bild einer Waage denken: hebt sich die eine Schale, so senkt sich unweigerlich die andere, nie aber können beide zugleich oben oder unten sein. Insofern es nur auf die Relation zwischen den beiden Schalen ankommt, ist es in diesem instabilen System auch sinnlos, von „oben" und „unten" zu sprechen, da die Positionen ja austauschbar sind.

Die Waage von „Wachen" und „Schlaf", auf die Walser im ‚Minotauros' anspielt, ist jedoch Sinnbild eines Dualismus im Menschen selber: er ist an das Spiel ihrer Schalen gefesselt, hebt sich mit der einen nur, wenn er mit der anderen zugleich sinkt. Die Kehrseite schriftstellerischer „Wachheit", d. h. künstlerischer, kultureller Aktivität, reflexiver und kreativer Konzentration ist eine gleichzeitige Verfallenheit an den Schlaf, insoweit das Ich als Mensch, als naturhaftes und auch als soziales Wesen betroffen ist. Die Überlegenheit, die sich das intellektuell wache, aber im selben Maße vital und sozial schlafende Ich gegenüber solchen herausnehmen möchte, die „geistig schlafen", indem sie „hemmungslos drauflosleben", wird denn auch sogleich zurückgenommen – der Vorwurf der Schläfrigkeit wäre reziprok.

Das Verhältnis zwischen diesen Zuständlichkeiten äußert sich nun aber als ein unauflöslicher antagonistischer Prozeß. Die vitalen Mächtigkeiten, hier etwa das Erotische und das Soziale, Nationale, treten fordernd an das Ich heran und sind imstande, seiner reflexiven Wachheit Abbruch zu tun. Dagegen verwahrt sich das Ich. Es ist andererseits imstande, sich denkend über Raum und Zeit hinweg und von Gegenstand zu Gegenstand zu schwingen, ganze Nationen miteinzubeziehen und die Welt im Kopf zu reproduzieren. Hiergegen werden jedoch wiederum Bedenken angemeldet: dieses sich an Abstraktionen haltende Denken läßt sein Subjekt zur „Beute einer Unverhältnismäßigkeit" werden – tritt in dieser beutemachenden „Unverhältnismäßigkeit" der Minotauros bereits auf, wenn auch noch nicht als solcher erkannt und benannt? Jedenfalls erscheint der Sieg des Denkens als ein Pyrrhussieg, die Macht des Bewußtseins über das Sein schlägt, wie wir sahen, gerade dort in Ohnmacht um, wo es sich in seiner Überlegenheit festsetzen will.

Deshalb reihen sich im zweiten Absatz des Textes die verzichtenden, beschwichtigenden Gesten: „um des bißchen Glückes willen" tritt das Ich in respektvolle Distanz zum Problematischen der Nation wie des Erotischen, läßt die Geschichte schlafen, anstatt ihr die hochmütige Frage nach Bildung vorzuhalten, und weist den Anspruch, den Minotauros verstehen zu müssen, ab. Indem das Denken in seine Schranken gewiesen wird, kommt die Waage zu einem Ausgleich. Wachen und Schlaf, Bewußtsein und Sein befinden sich in jenem Verhältnis, das für Walser allein Glück, Freiheit, Frieden gewährleistet, einer labilen, immer bedrohten Balance.

Ziehen wir zur Verdeutlichung noch eine Parallelstelle hinzu, den Schlußabsatz des Prosastücks ‚Herren und Angestellte':

„Mein Motiv rührt freilich ein wenig an, als trete es dem Leben zu nahe, das vielleicht wesentlich zu zart geworden sein mag. Wodurch wurde es so? Will es sich ändern oder will es so bleiben? Warum frage ich dies? Warum kommen viele Fragen zu mir, leise eine um die andere? [...] Jetzt schauen sie mich quasi an, als wäre ich ihnen verpflichtet. Auch ich wurde, wie

[39] GW III, S. 390.

so mancher, zart. Die Zeit ist zart wie eine Hilfeflehende, Bestürzte. Die Fragen flehen und sind zart und unzart. Die Zartheiten verhärten sich. Der Nichtverpflichtete ist vielleicht der Zarteste. Mich z. B. machen Pflichten hart. Die Angeflehten flehen die Flehenden an, die dies nicht verstehen [...] Die Fragen schauen sorgenvoll drein und sind sorglos, und die sich um sie bemühen, sorgen für Vermehrung der Fragen, die ihre Beantworter für unzart halten. Der, der sich durch ihr Kommen keinen Augenblick im Gleichgewicht beeinträchtigen läßt, ist zart in ihren Augen. Indem sie ihm gelöst vorkommen, löst er sie. Warum trauen ihnen viele dies nicht zu?“ [40]

Dort der Minotauros, den Verständnisbemühungen „fuchsteufelswild“ machen, hier die Fragen, die sich wie die Köpfe der Hydra vermehren, wenn man sie beantwortet – beide bezeichnen das Bedrohliche einer Verblendung, die in der Zeit herrscht. An anderer Stelle sagt Walser von „unserer Epoche“, sie sei von einer „heimeligen Unheimlichkeit“, und das Unheimliche bestehe darin, „daß wir zu schwächlich sind, Schwächlichkeiten zu offenbaren“.[41] Er charakterisiert diese Zeit auch als eine „nach und nach Wirklichkeit gewordene Zivilisationszentralisation oder Gebildetheitsausgebildetheit“.[42] In ihr verstellt die Helle das Licht, d. h. es herrscht ein entfremdetes Bewußtsein, das sich absolut gesetzt hat und so unbewußt vom „Schlaf“ umfangen ist. Die Waage, um noch einmal dieses Bild zu gebrauchen, verharrt im extremen Ausschlag.

Walsers Kritik an der Zeit und ihrer Kultur ist im Spätwerk an hunderten von Stellen zu finden, in ironischen Betrachtungen und Parabeln, historischen Bildern und mythischen Anspielungen. Viele dieser Stellen haben einen aktuellen, engumschriebenen Bezug, andere deuten Allgemeines, Umfassendes in Denk- und Sprachfiguren an, die wie der Text des ‚Minotauros‘ in der Interpretation nie endgültig und vollständig zu erschöpfen sind. Man muß dabei häufig zu philosophischen Umschreibungen Zuflucht nehmen, denn es handelt sich in einem bestimmten sehr ursprünglichen Sinn um philosophische Texte – andererseits aber wieder um eine eigene Form von Sprachspiel, von Literatur. Daß sich aus ihnen kein schlüssiges, festumrissenes System oder Programm ablesen läßt, ist bereits in der Art und Richtung ihrer Kritik begründet. Immer zielt sie auf die Auflösung von Verfestigtem, auf die Aufhebung von Abstraktionen, auf die Einsicht in das dialektische Widerspiel, in die Umkehrbarkeit der Relationen. Die Texte demonstrieren diese Tendenz, indem sie sich von den Fesseln konventioneller literarischer Gattungen befreien – Sprachgebilde mit einem Minimum an vorgegebener äußerer Form und einem Maximum an innerer Freiheit, in denen sich das Spontane, Intuitive mit differenziertester Reflexion ganz unmittelbar verbindet. Verglichen mit der ihnen gleichzeitigen Literatur stellen sie freilich damit eine Gegenform, fast eine Anti-Literatur dar, erst in viel jüngerer Zeit ließen sich Parallelen bezeichnen.

„Die Frage: 'Ist's nicht mehr Kunst, was du treibst?' schien mir mitunter sachte die Hand auf die Schulter zu legen. Ich durfte mir jedoch sagen, daß sich einer, der mit Bemühtbleiben weiterfährt, nicht von Forderungen behelligen zu lassen braucht, deren idealistische Last ihn beunlustigte“,

schrieb Walser in dem Prosastück ‚Meine Bemühungen‘.[43] In einer Parabel, die das beschwerliche Besteigen eines vereisten Berges zum Inhalt hat, heißt es:

---

[40] GW IX, S. 205/6. [41] GW IX, S. 115. [42] GW X, S. 427.

„Mit schöner Haltung war nichts auszurichten. Da hatte ich eine übrigens ganz naheliegende Idee, ich ließ mich auf die Hände nieder, verlegte mich eine Zeitlang auf denkbar liebliches Kriechen; ich meine, man muß sich Situationen anzupassen wissen [...] Mir lag am Wegzurücklegen; die damit verbundenen Schwierigkeiten zwangen mich zu nicht gerade schön aussehenden Verwandlungsmaßnahmen. Sah's nicht aus, als verleugnete ich die 'Kultur', wo mir's um deren Beibehaltung zu tun war?" [44]

Man darf dieses Gleichnis Walsers auf sein späteres Werk und dessen Verhältnis zur traditionellen Kultur beziehen: um der Beibehaltung dessen willen, was Kunst und Literatur als Akt und Leistung bedeuten, mußte er verleugnen, was sie als Habitus und Besitz darstellten und worin in der Gegenwart ihre Bewegung erstarrte. In seiner Kritik, seinem im Werk formulierten und demonstrierten Widerspruch war er sich der tieferen Übereinstimmung mit den Prinzipien des Denkens und der Sprache, der Kunst und der Kultur gewiß.

In der Berner Prosa ist die Gesellschaftskritik weitgehend in der grundsätzlichen Kritik der europäischen Kultur aufgegangen – soziale Konflikte und politische Gegensätze spiegeln wie die Probleme der Verständigung zwischen einzelnen Menschen die immer gleiche Verblendung, die gleiche Verfehlung des Ausgleichs, die gleiche Selbstverkennung. Dahinter steht jene Vorstellung der Dialektik von „Wachen" und „Schlaf", von Bewußtseinsautonomie und Seinsverfallenheit, wenn man die beiden Dimensionen individueller wie kollektiver Existenz so zu übersetzen wagen will, und von der Korrelation zwischen ihnen. Daß der Mensch, die Gesellschaft und die Kultur dem Mechanismus des Waagebalkens nicht entgehen können, ist für Walser eine ontologische Gegebenheit – die Einsicht in die Gesetzmäßigkeit seines Ausschlags öffnet aber die wahren Möglichkeiten der Freiheit im Leben, bedingt wie immer sie sein mögen.

Walsers ambivalente Umgehungstaktik gegenüber dem ‚Minotauros', die Zurückhaltung, die er dem selbstherrlichen Intellekt empfiehlt, und die aufmerksam distanzierende Achtung, die er andererseits den Mächten des „Schlafs" zollt, seine Suche nach einer harmonischen Balance des Menschen in sich selbst – das erscheint, zumal in der Walser eigenen untertreibenden, spielerischen Darbietungsform, manchem vielleicht als ein allzu individualistischer, schlichter, bescheidener Entwurf für die Lösung der Weltkrise, deren Bewußtsein das Werk durchzieht. Andere könnten von neuem den Verdacht einer antirationalen Tendenz äußern. Das hieße dieses Werk aber immer noch mißverstehen und in seiner inneren Konsequenz, Weite und Offenheit unterschätzen. Die Figuren des Widerspruchs, mit denen es der Zeit, ihrer Gesellschaft und Kultur antwortete, sind noch nicht überholt, und die utopische Perspektive, in der die Kritik sich begründete, wird erst von neuem erkannt und verstanden werden müssen. Die ganze Freiheit seines ihn selbst verzehrenden Außenseitertums fruktifizierend und zugleich aus dem anonymen Zentrum der Gesellschaft und des Alltags heraus schreibend, zeugte Robert Walser mit den Paradigmen seiner Sprachkunst für die Möglichkeiten von Glück, Liebe und Frieden und überwand in ihr die Antagonismen, die die Zeit so wie ihn selbst zerspalteten – bis die Kraft des Widerstands ihn verließ.

---

[43] GW X, S. 431.
[44] GW III, S. 388.

Bibliographie

A) Werke

Das Gesamtwerk. Kritische, vollständige Werkausgabe in 12 Bänden mit Kommentar und Biographie von Robert Mächler, hrsg. v. Jochen Greven, Kossodo, Genf/Hamburg 1966 ff.
Dichtungen in Prosa, hrsg. v. Carl Seelig
Bd. 1 Aufsätze und kleine Dichtungen, Holle, Genf/Darmstadt 1953
Bd. 2 Unveröffentlichte Prosadichtungen, Holle, Genf/Darmstadt 1954
Bd. 3 Der Gehülfe, Kossodo, Genf/Hamburg 1955
Bd. 4 Fritz Kochers Aufsätze. Die Rose. Kleine Dichtungen. Kossodo, Genf/Frankfurt/M. 1959
Bd. 5 Komödie. Geschichten. Der Spaziergang. Kossodo, Genf/Frankfurt/M. 1961
Der Gehülfe, Fischer-Bücherei Nr. 452, Frankfurt/M. 1962 (vergriffen)
Jakob von Gunten, Kindler-Taschenbuch Nr. 38, München 1964 (vergriffen)
Kleine Wanderungen. Geschichten. Mit einem Nachwort von Herbert Heckmann, Reclam Universal-Bibliothek Nr. 8851, Stuttgart 1967
Der Spaziergang. Ausgewählte Geschichten und Aufsätze. Zeichnungen von Karl Walser. Diogenes Erzähler Bibliothek, Zürich 1967
Prosa, hrsg. v. Walter Höllerer, Bibliothek Suhrkamp Bd. 57, Frankfurt/M. 1968
Basta. Prosastücke aus dem Stehkragenproletariat. Ausgewählt und mit einem einleitenden Essay hrsg. v. Hans G. Helms, Kiepenheuer & Witsch, Köln/Berlin 1970
In der Bahnhofswirtschaft. In: Klassiker des Feuilletons, ausgewählt von Hans Bender, Reclam Universal-Bibliothek Nr. 8965–67, Stuttgart 1965, S. 115–119
Das Stellengesuch. In: Wort und Sinn. Lesebuch für den Deutschunterricht, 5./6. Band. Paderborn, Ferdinand Schöningh 1965, S. 16–17
Gedichte. In: Peter Härtling: Vergessene Bücher. Hinweise und Beispiele. Henry Goverts Verlag, Stuttgart 1966, S. 120–125
Nachtstück. Minotaurus. Eine Stadt. In: Text + Kritik, Zeitschrift für Literatur, hrsg. v. Heinz Ludwig Arnold, Nr. 12, Aachen o. J. (1966), S. 12–15
Vier Briefe an Christian Morgenstern, hrsg. u. eingeleitet v. Jochen Greven. In: Akzente XV, 1968, S. 152–159
Prosastücke. In: Neue Rundschau LXXIX, 1968, S. 32–37
Briefe aus dem Jahr 1927, hrsg. v. Jochen Greven. In: Jahresring 68/69, S. 133–143
Der Traum. In: Ernst-Jürgen Dreyer: Kleinste Prosa der deutschen Sprache, Max Hueber Verlag, München 1970, S. 238–239

B) Ausgewählte Forschungsliteratur

Avery, George C.: Inquiry and Testament. A Study of the Novels and Short Prose of Robert Walser. Philadelphia 1968

Bibliographie

Avery, George C.: Das Ende der Kunst. Zum Problem der Interpretation von Robert Walsers Spätprosa. In: Schweizer Monatshefte XLVIII, S. 285–305

Benjamin, Walter: Illuminationen. Ausgewählte Schriften. Suhrkamp Verlag, Frankfurt/M. 1961 (Sonderausgabe in der Reihe ‚Die Bücher der Neunzehn' Bd. 78), S. 370–373; auch In: W. B.: Schriften, Bd. 2, Frankfurt/M. 1955, S. 148 ff.

Blei, Franz: Das große Bestiarium. Zeitgenössische Bildnisse. dtv 129, München 1963, S. 117–119

Greven, Karl Joachim Wilhelm: Existenz, Welt und reines Sein im Werk Robert Walsers. Versuch zur Bestimmung von Grundstrukturen. Diss. Köln 1960

Greven, Jochen: Robert Walser. Wiederkehr eines Verschollenen. In: Eckart Jahrbuch 1966/67, S. 256–266

Greven, Jochen: Robert-Walser-Forschungen. Bericht über die Edition des Gesamtwerks und die Bearbeitung des Nachlasses, mit Hinweisen auf Walser-Studien der letzten Jahre. In: Euphorion 64, 1970, S. 97–114

Günther, Werner: Dichter der neueren Schweiz II. Bern 1968, S. 453–520

Hamburger, Michael: Musil, Walser, Kafka. In: M. H.: Vernunft und Rebellion, München 1969

Hartung, Rudolf: Zweite Begegnung mit Robert Walser. Anläßlich der zwölfbändigen Gesamtausgabe seines Werkes. In: Die Zeit Nr. 38 vom 20. 9. 1968

Heckmann, Herbert: Über einige Aspekte Robert Walsers. In: Neue Rundschau LXXIX, 1968, S. 131–138

Kaufmann, Herbert L.: Large and Small World in Robert Walsers Novels. In: Literatur in Wissenschaft und Unterricht Bd. III, 1970, S. 98–105

Mächler, Robert: Das Leben Robert Walsers. Eine dokumentarische Biographie. Genf/Hamburg 1966

Michel, Karl M.: „... und hatte alle Wirklichkeit vergessen". In: Frankfurter Hefte II, 1956, S. 61–63

Middleton, J. C.: The Picture of Nobody. Some Remarks on Robert Walser with a Note on Walser and Kafka. In: Revue des Langues Vivantes/Tijdschrift voor lebende talen, Jg. XXIV, 1958, S. 404–428

Morgenthaler, Ernst: Wie ich den Dichter Robert Walser kennenlernte. In: Ein Maler erzählt, Zürich 1957, S. 73 ff.

Musil, Robert: Die „Geschichten" von Robert Walser. In: Tagebücher, Essays, Reden, hrsg. v. A. Frisé, Hamburg 1955, S. 686 f.

Naguib, Nagi: Robert Walser. Studien zu seinem Romanwerk und Entwurf einer Bewußtseinsstruktur. München 1970

Pestalozzi, Karl: Nachprüfung einer Vorliebe. Franz Kafkas Beziehungen zum Werk Robert Walsers. In: Akzente XIII, 1966, S. 322–344

Piniel, Gerhard: Robert Walsers späte Prosa. In: Schweizer Monatshefte XLVI, 1966, S. 762 bis 768

Piniel, Gerhard: Robert Walsers ‚Geschwister Tanner', Diss. Zürich 1968

Piniel, Gerhard: Robert Walsers Roman ‚Jakob von Gunten'. In: Schweizer Monatshefte XLIII, 1964, S. 1175–1186

Pusch, Luise F.: ‚Weiter' von Robert Walser. In: Neue deutsche Hefte XI, 1964, S. 73–77

Rang, Bertrand: Exkurs über Robert Walser. In: Deutsche Literatur im 20. Jahrhundert, hrsg. v. H. Friedmann u. O. Mann, Heidelberg 1960, S. 99–110

Robert, Marthe: Robert Walser. In: M. R.: Sur le Papier. Essais. Paris 1967, S. 113–135

Rodewald, Dierk: Robert Walsers Prosa. Versuch einer Strukturanalyse. Bad Homburg v. d. H./Berlin/Zürich 1970

Seelig, Carl: Wanderungen mit Robert Walser. St. Gallen o. J. (1957)

Siegrist, Christoph: Robert Walsers kleine Prosadichtungen. In: GRM XVII, N. F. 1967, S. 78 bis 97

Wondratschek, Wolf (Hrsg.): Text + Kritik, Zeitschrift für Literatur, Nr. 12: Robert Walser (mit Beiträgen von Lothar Baier, Jochen Greven, Herbert Heckmann, Martin Walser, Wolf Wondratschek). Aachen o. J. (1966)

Zinniker, Otto: Robert Walser der Poet, Zürich 1947

(Nicht aufgenommen wurden: Zeitungsartikel, maschinenschriftliche Dissertationen [eine Ausnahme] und andere schwer zugängliche Werke.)

C) Bibliographie

Wilbert-Collins, Elly: A Bibliography of Four Contemporary German Swiss Authors: Friedrich Dürrenmatt, Max Frisch, Robert Walser, Albin Zollinger. The authors' publications and the literary criticism relating to their works. München/Bern 1968